D0120593

MATER
MATERIA

maquette intérieure

yolande delacroix
jacques le gros
louise gaudreault

couverture

conception graphique

jacques bourassa

illustration

liliane fortier

photo

françois renaud

JACQUES LANGUIRAND

Hommage à la déesse-mère
le principe féminin *
la nature *
la matière *

illustrations originales
LILIANE FORTIER

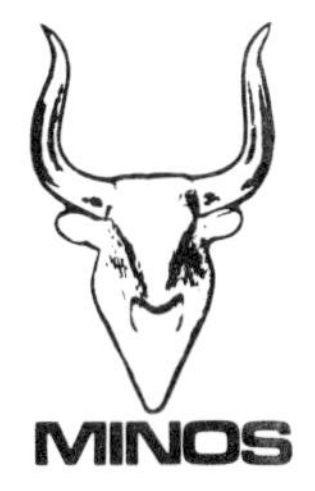

Édition: Les Productions Minos Ltée.
C.P. 431 succ. Victoria,
Montréal, Qué., Canada
H3Z 2V8

Diffusion: Les Presses Métropolitaines Inc.
175, boul. de Mortagne,
Boucherville, Québec
J4B 6G4
Tél.: (514) 641-0880

Dépôt légal: Bibliothèque Nationale du Canada
Bibliothèque Nationale du Québec
4e trimestre 1980

ISNB 2-920151-00-2

« Pourquoi cet accent de dévotion ? Parce que toute réflexion un peu profonde sur la femme est un acte religieux. Non pas une « adoration » de la femme, comme les poètes en sont coutumiers : mais la recherche d'un aspect de l'être, de l'être sous un aspect ; un effort pour me relier, pour accorder en moi le principe mâle, à cet autre qui plus que tout est mon autre, le féminin. Rien au monde ne m'est plus éloigné : rien ne m'est aussi proche. Toute chose, hors de moi, n'est objet de science, sauf la femme, la vie, et Dieu. Et toute science est division : mais si je m'unis à ce principe autre, si je le connais du dedans, je saisis de l'intérieur toute chose, et la vie même, et je pressens Dieu. »

Pierre EMMANUEL, *La vie terrestre* (Seuil).

à la mémoire
de Marguerite, ma mère,
et de Julie, ma grand-mère;
à mes vieilles tantes,
Hermine et Rosalie,
qui m'ont recueilli
lorsque je n'avais plus où aller;
à Gabrielle,
qui a consacré plusieurs années
de sa vie à s'occuper de moi;
à toutes celles qui m'ont pris
dans leurs bras
lorsque j'étais petit
et jusqu'à aujourd'hui
et tant que je vivrai;

aux maîtresses d'école qui m'ont instruit,
aux infirmières qui m'ont soigné,
aux secrétaires et aux assistantes qui m'ont prolongé;

à celles qui m'ont orienté, dirigé, commandé;

à Yolande,
ma femme, ma compagne, ma meilleure amie,
pour le meilleur et pour le pire,
comme on dit,
depuis plus d'un quart de siècle
dans la présente incarnation
et sans doute aussi depuis plusieurs siècles
à travers les vies successives,
dans les mêmes rôles ou dans les rôles inversés
ou encore dans des rôles différents;

à Martine, ma fille, ma préférée
entre toutes celles que je préfère;

aux prostituées de ma vie,
aux amantes d'un jour,
aux maîtresses d'un peu plus longtemps
— il s'agit toujours de la recherche de l'Autre;

à celle qui, la première,
m'a laissé découvrir d'une main furtive
les merveilles insondables du sexe de la femme
et l'explosion infinie de l'orgasme féminin,
auprès de quoi la jouissance du mâle
n'est jamais qu'une éjaculation
— au sens de prière fervente;
et à toutes celles qui, par la suite,
m'ont laissé d'une main furtive,
ou d'un regard,
ou d'un frôlement...;

à mes deux vieilles amies d'Asnières,
qui aviez deviné que je n'avais pas mangé
depuis plusieurs jours et qui m'avez invité,
sous je ne sais quel prétexte,
à partager votre repas du midi
tous les jours pendant plusieurs semaines,
qui m'aviez même présenté à la nièce,
ou je ne sais plus quelle arrière-petite-cousine,
de l'une de vous,
vieilles et merveilleuses amies
qui connaissiez mes besoins
et que j'ai bien failli oublier;

à la nièce en question,
et à toutes les nièces...
(ou était-ce une arrière-petite-cousine?
— alors, à toutes les arrières-petites-cousines...)
à I. à P. à S. à B. à T. à A. à L.
à V. à K. à M. à G. à C. à D...
....
— nous avons tenté de vivre intensément
et parfois nous y sommes parvenus;

mais aussi à mes consœurs, à mes copines,
à mes amies;
— à toutes celles, bref, qui m'ont mis au monde
et qui m'ont nourri:
aux filles de la Grande Déesse
dont je suis le fils respectueux,

Ou encore, adoptant l'autre point de vue,
j'aurais pu écrire :

à ceux qui ont contribué à m'apprendre la femme,
je pense au poète Pierre EMMANUEL,
par ses écrits mais aussi au cours de conversations
qui m'ont appris le caractère sacré de la relation
avec la femme,

à mon ami André MOREAU,
le seul philosophe québécois à plein temps,
pour sa démarche et, en particulier, pour son livre
***La Mère érotique**,*

à quelques amis, je pense à Marc, à Bob, à Serge...
— mais à qui d'autres encore ?
car ils sont rares les hommes capables
d'une complicité autant amicale qu'amoureuse
avec une femme ;

à ceux qui avaient éveillé la part féminine en eux
et lui permettaient de s'épanouir,
— ce qui en faisait des hommes
capables d'accepter la femme ;

à la mémoire du Dr Carl JUNG
qui parle d'éveiller en soi
l'autre aspect qui sommeille :
le masculin chez la femme,
le féminin chez l'homme,
— afin de parvenir à une fusion
des opposés complémentaires,
*aux **Noces Alchimiques**.*

J.L.

5 décembre 1979,
jour anniversaire
de la naissance de
mon épouse.

TABLE

introduction

Mon propos est le suivant:

Afin d'aider le lecteur à situer les éléments, divers sinon disparates, de cette mosaïque en fonction de l'ensemble, je crois utile d'exposer en quelques mots le sens de ma démarche.

Il y a l'**UN**, il n'y a du reste que l'**UN**, le multiple étant la manifestation diverse de l'**UN**. Pour se manifester, l'**UN** devient **DEUX**: c'est la dualité qui comporte toujours deux opposés complémentaires, par exemple,

dans l'espace, l'horizontal et le vertical,

dans l'électricité, le négatif et le positif

dans la sexualité, la femelle et le mâle.

La dualité repose sur deux principes fondamentaux: le principe féminin et le principe masculin. Jusqu'ici, tout cela peut paraître simpliste. Mais il s'agit de le vivre.

Ces deux principes sont en chacun de nous.

La femme ne doit pas se limiter au principe féminin,

pas plus que l'homme ne doit se limiter au principe masculin.

Mais il se trouve que nous devons aujourd'hui redécouvrir ensemble le principe féminin tout d'abord en chacun de nous.

Car, ces deux principes sont aussi en dehors de nous.

Depuis un peu plus de deux millénaires, l'Occident a mis l'accent sur un des principes: le masculin.

Il s'agit maintenant, si nous voulons survivre, de mettre l'accent sur l'autre: le féminin.

Afin de parvenir un jour à un équilibre entre les deux: de vivre harmonieusement, de transcender éventuellement la dualité et ce sera **TROIS** qui permet de revenir à l'**UN**.

Mais nous en sommes encore loin.

À l'étape actuelle, chacun doit redécouvrir le principe féminin: redécouvrir l'aspect féminin en soi et dans le monde.

Il est souvent aussi refoulé chez la femme que chez l'homme.

Il s'agit de redécouvrir la femme, tout simplement, dans le monde.

Elle a été écrasée dans une société dominée par les valeurs masculines, de conquête, de territoire, de science sans conscience et de technologie autodestructrice, au point où la femme elle-même se demande qui elle est,

où elle s'interroge sur les valeurs qu'elle souhaite véhiculer, où elle doit redécouvrir les valeurs féminines...

Qui se définissent, en particulier, à travers le mythe de la Terre-Mère qui donne la vie et qui nourrit:

de la Nature qui constitue un tout dont l'homme participe:

il n'a pas à la conquérir, ni à la dominer, encore moins à l'exploiter,

— ce qui reviendrait bêtement à scier la branche de l'arbre sur laquelle il se trouve.

Et de la matière.

Ce sont divers niveaux de fonctionnement.

Le principe féminin est présent à tous les niveaux.

Et c'est à tous les niveaux que nous devons redécouvrir le principe féminin.

Je veux dire aussi que l'aspect psychanalytique de ma démarche ne m'échappe pas, bien que je ne puisse en mesurer l'importance.

Je suis en effet devenu orphelin de mère à l'âge de deux ans et demi. Il n'y a pas de doute que ma vie a été profondément marquée par ce drame : l'abandon par la mère.

Cette blessure a certainement été l'un des grands mobiles obscurs de ma vie. Je suis convaincu que mon état d'orphelin de mère a peut-être suscité, certainement entretenu mon intérêt pour le mythe de la Terre-Mère, celui de la Nature, ou encore de la Matière, de même que ma défense du Principe féminin.

Mais je suppose qu'il n'y a pas **que** la recherche inconsciente d'une compensation à l'absence de la mère, qui explique ma démarche. Bien que l'état d'orphelin soit apparemment une des grandes motivations. Une étude récente a démontré qu'une proportion très élevée de meneurs, politiques et religieux, de même que de créateurs artistiques, sont des orphelins.*

C'est toute la question du destin qui se trouve soulevée ici.

La psychanalyse ou, plus simplement, l'analyse psychologique ne ferait-elle que mettre en lumière certains rouages de la prédestination ?

L'être ne peut éventuellement **s'éveiller** que dans la mesure où il est capable de se regarder agir avec lucidité.

Je constate tout simplement qu'une bonne partie de ma vie, de mes orientations, de mes opinions même, pourrait s'expliquer par ma recherche de la mère. J'en prends donc note. Et je crois utile, en particulier au début du présent ouvrage, de le signaler au lecteur...

Mais il demeure que la Terre, la Nature, la Matière, sont aussi des archétypes féminins, considérés comme tels universellement par la psyché humaine.

* À ce propos, un ouvrage récent qui en dit long sur la volonté de pouvoir de ceux qui s'occupent des intérêts de la collectivité. ***Les orphelins mènent-ils le monde ? Un problème psycho-historique***, Dr RENTCHNICK, Pr HAYNAL et Pr SENARCLENS (Stock).

On s'étonne parfois de mon *féminisme*. Je ne suis pas *féministe*, s'il s'agit pour la femme de se définir en fonction de valeurs masculines. En revanche, je le suis tout à fait s'il s'agit de favoriser le principe féminin :

sa revalorisation me paraît même absolument nécessaire pour nous tirer de l'impasse où la société occidentale se trouve engagée.

Nous devons inventer une nouvelle civilisation.

Et nous ne pourrons le faire qu'à partir de valeurs féminines.

Il m'arrive aussi d'expliquer mon *féminisme* par le fait que je sois réincarnationniste...

La théorie de la réincarnation, on peut en faire l'observation, rend plus respectueux des autres : des enfants, par exemple, dont on peut supposer qu'ils sont parfois des entités plus vieilles que leurs parents ; et aussi de ceux qui appartiennent à l'autre sexe.

En effet, si l'entité que je suis en tant que SOI

et dont je suis la présente manifestation en tant que MOI

doive un jour se réincarner, rien ne me dit que cette prochaine manifestation ne sera pas féminine...

Alors, aussi bien contribuer un peu à redécouvrir la femme, on ne sait jamais...

Nous devons revenir au **principe féminin** qui peut seul donner naissance à l'Homme nouveau.

Les Anciens vénéraient la Déesse-Mère:

la terre fertile et féconde;

la Nature dont l'homme participe;

mais aussi, à des niveaux d'interprétation plus élevés:

le Principe féminin — qui donne naissance et qui nourrit;

la Matière qui permet à l'Esprit

qu'elle emprisonne,

de se transformer, de se renouveler,

de se purifier pour devenir comme l'Or.

le
Principe féminin

La crise que traverse notre civilisation peut être résolue. Il s'agit du contrôle de la population ou encore de la réduction de la pollution. Nous avons la technologie pour intervenir.

Mais l'élimination du racisme et de la guerre ne nécessite aucune nouvelle invention.

Ce qu'il faut, c'est une nouvelle attitude.

Il est donc possible que nous soyons incapables de surmonter cette crise, parce qu'elle nécessite une redéfinition de nos valeurs, au plan collectif comme au plan individuel, — en particulier, quant à la façon dont chacun voit le monde. Le problème auquel nous faisons face se situe au niveau de la conscience individuelle.

Quant à moi, j'estime qu'il s'agit de se redéfinir collectivement et individuellement en fonction des valeurs qui découlent du principe féminin.

Qu'est-ce donc que le principe féminin?

Lorsqu'on tente de définir le principe féminin, il faut garder à l'esprit les points suivants:

- un principe ne se définit que par rapport à l'autre;
- chacun de nous participe des deux principes;
- la personnalité consiste en un dosage particulier des deux principes;
- un principe n'est pas supérieur à l'autre;
- il s'agit à l'étape actuelle de mettre l'accent sur l'autre — le féminin;
- afin de parvenir éventuellement à un équilibre entre les deux;
- cette forme d'androgynie de principe n'est pas sexuelle;
- un mâle peut fort bien vivre en fonction de valeurs féminines;
- comme du reste, on trouve aujourd'hui un grand nombre de femmes qui vivent en fonction de valeurs masculines ce qui, dans le présent contexte, paraît inquiétant;
- il demeure que la femme est le véhicule naturel du principe féminin;
- enfin, je dirais que c'est une question à propos de laquelle il faut éviter tout fanatisme: pour l'aborder, il faut être capable d'un fonctionnement nuancé.

Lorsqu'on tente de définir le principe féminin, il faut aussi savoir que le refoulement de ce principe fait que lui sont associés certains mots qui ont un sens péjoratif — et jusqu'à la notion même de mal.

Le plus bel exemple que je connaisse est celui de l'opposition de la gauche et de la droite: le côté gauche de l'être représente son aspect réceptif: c'est le côté féminin; par opposition au côté droit qui représente l'aspect actif: c'est le côté masculin que notre civilisation a favorisé. Une bonne partie de notre technologie est agressive — prolonge le poing droit.

Et le côté gauche, le réceptif, le féminin, est devenu associé à la maladresse.

On trouve aussi une interprétation péjorative associée au féminin chez certaines peuplades primitives. Notre société n'est donc pas la seule à avoir mis l'accent sur le masculin. Bien que d'autres sociétés, dont je parle plus loin, aient mis l'accent sur le féminin. Il ne faut pas oublier que le principe masculin est celui de la combativité, de l'agressivité, de la conquête — qui, dans certaines conditions difficiles, ont assuré la survie de l'espèce.

Or, c'est bien la question : si nous voulons survivre maintenant en tant qu'espèce, nous devons cesser de combattre, d'agresser, de conquérir. Il est inutile et auto-destructeur de transposer, par exemple, dans le monde de l'industrie et du commerce, une attitude hyper-combative dont nous sommes nous-mêmes, en fin de compte, les victimes.

Par exemple,

principe féminin	**principe masculin**
réceptif	*actif*
sauvage	*civilisé*
nature	*culture*

du point de vue de la perception sensorielle :

audio-tactile	*visuel*
tourné vers le sujet	*tourné vers l'objet*
à l'intérieur	*à l'extérieur*
concentrique	*excentrique*

du point de vue sexuel :

l'en-soi	*l'hors-soi*
être	*faire*
être	*avoir*
intemporel	*histoire*
empathie	*sympathie*
(se mettre à la place de l'autre)	*(souffrir avec)*

du point de vue des hémisphères du cerveau :

intuition	*raison*
relation acausale	*relation causale*
sensoriel	*intellectuel*
spatial	*verbal*
implicite	*explicite*
global	*linéaire*
perception	*expression*

diffus	*clair*
synthèse	*analyse*

ou encore

gestalt	
intégration des éléments	
approche systémique	*morcellement*
(interaction des éléments)	*approche spécialisée*

selon LÉVI-STRAUSS

mythique	*positif*

selon BRUNER

métaphysique	*rationnel*

selon RADHAKRISNA

intégral	*rationnel*
simultané	*successif*
électrique	*mécanique*
analogique	*discursif*

ou encore

collectif	*individuel*
communautaire	
voire même *tribal*	

On retrouve ici, analogiquement, l'opposition entre deux phases d'évolution qui, selon le Dr Jonas SALK, dans ***Qui survivra?*** (Fayard), sont l'accélération et la décélération.

Nous serions actuellement au point critique entre les deux tendances, entre les deux systèmes de valeurs.

Ces deux systèmes me paraissent correspondre aux deux principes:

- à une étape de son évolution, l'espèce favorise le **principe masculin** et les valeurs qui lui sont associées,
  de *contrainte*, de *compétition*, de *pouvoir*;
- à une autre étape, l'espèce favorise le **principe féminin** et les valeurs qui lui sont associées, d'*empire sur soi*, de *coopération*, d'*avantages mutuels*.

Avec le principe masculin, c'est la survivance du plus fort; avec le principe féminin, la survivance du plus sage. Il s'agit, selon le Dr SALK, d'un mécanisme de régulation biologique. C'est une question de survie.

Je reviens plus loin sur certaines de ces oppositions.

Il est impensable de faire une liste de toutes les oppositions découlant des deux principes.

Il faut plutôt les considérer globalement, sans s'attarder à des questions de sémantique. Il est certain que pour chacun d'entre nous, les mots n'ont pas le même sens.

Mais il s'agit, en somme, de se demander quel changement d'attitude entraîne le fait de mettre l'accent sur les termes féminins; et quelles valeurs découlent de cette nouvelle attitude,

au plan collectif comme au plan individuel.

«Les hommes et les femmes sont différents. Ce qu'il faut rendre égal, c'est la valeur accordée à ces différences.»

Diane McGUINESS et Karl PRIBRAM

Lorsqu'on aborde la délicate question de la différence entre les sexes, à une époque où l'égalité est souvent confondue avec le nivellement, il est prudent de commencer par rappeler que **l'être fondamental est androgyne**, qu'il participe des deux principes. Ce n'est qu'à un niveau de fonctionnement particulier que la différence intervient.

Au cours des vingt dernières années, l'accent a été mis dans les recherches sur les facteurs culturels: le conditionnement par l'éducation, le milieu et le système de valeurs.

Dont on sait qu'ils favorisent le principe mâle.

Mais une nouvelle génération de chercheurs, parmi lesquels de nombreuses femmes, met de plus en plus l'accent sur les subtrats biologiques du comportement et tirent d'autres conclusions que celles de leurs prédécesseurs.

Tout en reconnaissant l'importance des influences sociales, ces jeunes chercheurs affirment que la constitution neurologique de l'homme et de la femme n'est pas la même, d'où un mode de pensée et de comportement divergents.

Ces conclusions reposent en partie sur la preuve de ce qu'un cerveau masculin et un cerveau féminin ne fonctionnent pas de la même façon pour accomplir certaines tâches.

Bien qu'on puisse dire que le cerveau, comme tel, soit **androgyne** — qu'il participe également des deux principes. Ce sont les hormones sexuelles agissant sur les structures du cerveau qui seraient à l'origine des différences entre les sexes.

Telle est l'opinion, en particulier, de Diane McGUINESS et de Karl PRIBRAM, du département de neuropsychologie de l'université de Stanford.

Ce qui m'amène à penser qu'à une étape de la vie, lorsque la sécrétion d'hormones sexuelles est moins grande, la différence entre les sexes serait par conséquent moindre. Ce qui expliquerait peut-être l'androgynie des personnes âgées.

Ce seraient donc les hormones sexuelles mâles ou femelles qui, en exerçant une action différente sur différentes zones cérébrales, susciteraient un mode de pensée et un comportement différents.

McGUINESS et PRIBRAM ont conçu une synthèse de toutes les études consacrées aux aptitudes respectives des hommes et des femmes.

Il fallait un certain courage — vous en conviendrez.
En voici les grandes lignes :

Les hommes

- ont une meilleure vision diurne que les femmes ;
- passée la petite enfance, ont une rapidité de réaction supérieure ;
- déjà, lorsqu'ils sont petits, s'intéressent plus aux objets qu'aux gens ;
- ont plus d'aptitudes pour les mouvements brusques, dépourvus de finesse, et s'adonnent plus fréquemment à des jeux violents que les petites filles ;
- réussissent bien dans les tâches requérant une bonne perception de la profondeur (spatiale), ce qui expliquerait leur aptitude pour la mécanique ;
- sont plus doués, en général, pour les mathématiques ;
- manifestent pour les objets inconnus un plus grand intérêt ;
- ont un comportement d'exploration, une forme de curiosité qui leur permet de résoudre avec succès les problèmes requérant une manipulation.

L'hypothèse de la différence biologique dans le mode de pensée et le comportement est de plus en plus acceptée, mais elle a, on s'en doute, ses détracteurs qui mettent en garde contre une mauvaise interprétation des données. Mal interprétées, certaines de ces données pourraient, en effet, servir de justifications à des notions sexistes.

Quant à moi, je trouve certaines de ces différences très intéressantes : en particulier le fait que l'intérêt chez les hommes se porte plutôt sur les objets, alors que chez la femme, il se porte sur les êtres.

S'il n'y avait pas de différences entre les deux principes, je ne me donnerais pas autant de mal pour souligner l'importance du principe féminin et les valeurs qui en découlent.

Les femmes

- ont une meilleure vision nocturne ;
- ont un goût plus subtil, sont très sensibles au toucher et ont une ouïe plus fine : elles sont plus attentives aux sons et à leur signification affective ;
- sont supérieures, depuis l'enfance, dans les aptitudes verbales ;
- obtiennent de meilleurs résultats dans les tests de dextérité manuelle et de coordination et pour toutes tâches exigeant une prise de décision rapide (comme la neurochirurgie) ;
- s'intéressent plus que les hommes aux gens — plutôt qu'aux objets — et font preuve de plus de chaleur humaine et de compassion ;
- lorsqu'elles écoutent, sont moins distraites par ce qui se passe dans l'environnement visuel ;
- perçoivent mieux les messages « subliminaux » et ont une meilleure mémoire des visages et des noms.

On peut consulter les ouvrages suivants:

E. Sullerot: *Le Fait féminin*, Fayard, 1978.

Maccoby, Eleanor E. and Carol N. Jacklin: *The Psychology of Sex Differences*, Stanford University Press, 1974.

McGUINESS Diane and Karl Pribram: *The Origins of Sensory Bias in the Development of Gender Differences in Perception and Cognition*, in Cognitive Growth and Development — Essays in Honor of Herbert G. Birch, Morton Bortner, ed. Brunner/Mazel, in press.

Parsons, Jacquelynne E.: *Biopsychological Factors Influencing Sex-role Related Behaviors*, Hemisphere Publishing Corporation in press.

Witelson, Sandra F.: *Sex and the Single Hemisphere Specialization of the Right Hemisphere for Spatial Processing*, Science, Vol. 193, nº 4251, 1976.

Wittig, Michele A. and Anne C. Petersen: *Sex Related Differences in Cognitive Functioning Developmental Bases*, Academic Press, in press.

(D'après Psychologie, nº 119, décembre 1979.)

un peu d'Histoire

«Au tout début des temps, les peuples adoraient la Créatrice de la Vie, la Reine du Ciel. À l'aube des religions, Dieu était une femme. Vous en souvenez-vous ?»

Merlin STONE, ***Quand Dieu était une femme*** (Éditions l'Étincelle).

La Grande Déesse — qui était considérée comme l'ancêtre divine — a été l'objet d'un culte fervent depuis environ 7 000 ans avant J.-C., jusqu'à la fermeture de ses derniers temples, environ 500 ans après J.-C. Certains font même remonter le culte de la Déesse à quelque 25 000 ans avant J.-C.

Les fouilles récentes ne permettent pas de mettre en doute l'existence de ce qu'on peut appeler l'ère matriarcale.

Dans de nombreuses légendes, on attribue aux divinités féminines, non seulement la naissance du premier peuple, mais aussi la création de la terre et du ciel. On retrouve la trace de ces Déesses un peu partout: à Sumer, à Babylone, en Égypte, en Afrique, en Australie, en Chine...

On sait aujourd'hui que le culte de la Grande Déesse a duré au moins trois ou quatre fois plus longtemps que celui du Dieu mâle qui, en Europe, s'est imposé petit à petit avec les envahisseurs venus du Nord.

Ces envahisseurs ont apporté avec eux une religion qui mettait l'accent sur le principe masculin: le culte d'un Dieu-Père suprême ou celui d'un jeune guerrier.

Certains mythes témoignent de la confrontation des deux types de religion, qui racontent le mariage de la Déesse avec un Dieu venu d'ailleurs et/ou la naissance d'un fils divin.

Les invasions du Nord ont donc donné lieu à un amalgame des deux théologies.

Mais ce ne fut pas, hélas! pour déboucher vers une synthèse, puisque, petit à petit, le principe masculin finira par l'emporter.

Le culte du Dieu-Père et/ou du Fils devait se poursuivre jusqu'à nous, véhiculé par les grandes religions officielles que sont le Judaïsme, le Christianisme et l'Islamisme.

Le principe féminin a donc fini par être refoulé, par passer au second plan. Et le masculin l'a emporté. Le culte des divinités féminines de ces «*religions païennes*» a fini par nous apparaître comme une période sombre de l'humanité, comme une période chaotique, mystérieuse, diabolique même. On en est venu, par exemple, à associer toute dualité à la femme; à faire du nombre Deux qui est celui de la manifestation de la Conscience à travers la polarité fondamentale — dans les opposés complémentaires —, le nombre néfaste, ténébreux, malchanceux... bref, féminin.

Il paraît aujourd'hui de plus en plus évident que les sorcières qu'on a tellement chassées et persécutées, jusqu'à tout récemment, pour ne pas dire jusqu'à maintenant, sont les dernières prêtresses des cultes des divinités féminines, qui ont été autrefois des guérisseuses: on leur doit la connaissance des herbes, des plantes, des racines médicinales; qui ont été des prophétesses, voire des maîtresses de la destinée humaine...

> «*Pendant des siècles, les femmes ont été des médecins autodidactes et sans diplômes; n'ayant pas accès aux livres et aux cours, elles firent elles-mêmes leur propre enseignement, se transmettant leur expérience de voisine à voisine, de mère à fille. Le peuple les appelait "femmes sages" alors que les autorités les traitaient de sorcières et de charlatans. Pour nous les femmes, la médecine fait partie de notre héritage, de notre histoire, elle est en fait presque notre droit légitime.*»
>
> Barbara EHRENREICH et Deirdre ENGLISH, ***Sorcières, sages-femmes et infirmières,*** Éditions du Remue-Ménage.

« Les premières tentatives d'agriculture se sont déroulées autour des autels de la Déesse-Mère, qui furent autant des centres d'échanges économiques et sociaux que des lieux sacrés. C'est là qu'il faut rechercher le germe des cités futures. »

Christopher DAWSON, ***Les Origines de l'Europe*** (Arthaud).

« Je suis la Nature, la Mère universelle, la Maîtresse de tous les éléments, l'Origine des temps, la Souveraine de l'esprit, la Reine des Morts et Celle des immortels, la Manifestation unique de tous les dieux et déesses ;

d'un signe de tête, je commande aux étendues scintillantes des cieux, aux vents de la mer et aux lamentations silencieuses du monde des ténèbres.

Je suis vénérée sous de multiples formes, connue sous d'innombrables noms, et l'on me rend toutes sortes de cultes pour apaiser ma colère ;

c'est moi que la terre entière adore. »

Robert GRAVES, ***La Toison d'Or*** (Gallimard).

Au jeu d'échecs, la pièce la plus importante du point de vue stratégique est la Reine. Elle peut se déplacer dans toutes les directions: c'est de loin la pièce la plus souple et en même temps la plus forte, — la plus articulée. La façon dont un joueur utilise sa Reine est généralement déterminante pour l'issue de la partie.

Par comparaison, le Roi apparaît plutôt comme l'objectif, comme le *but* dans certains sports d'équipe. Son rôle est passif. Dans une civilisation patriarcale, on s'attendrait à ce que ce fut le contraire.

Je suppose que le jeu d'échecs, qui est très ancien, témoigne, comme certains mythes, certaines légendes, de l'époque où *Dieu était une femme*.

Dans un texte hittite, on parle de la Déesse du Soleil comme de «Celle qui a tout pouvoir sur les Rois, du ciel comme de la terre...»

Ou encore, à propos de la transmission du pouvoir par les femmes, Maurice BARDÈCHE, dans son ***Histoire des femmes*** (Stock), parle d'un «usage immémorial selon lequel la femme étrusque avait le caractère (...) de **faiseuse de rois**, comme si la légitimité monarchique dépendait de la désignation et de la consécration par la reine.»

« L'enceinte initiale sacrée des temps primitifs était probablement celle où les femmes accouchaient... »

Erich NEUMANN, ***The Great Mother*** (Pantheen Books).

C'était une époque où la naissance conservait encore son mystère.

Où la vie quotidienne était ritualisée.

Où la femme et l'homme vivaient avec la conscience d'une dimension sacrée.

Aujourd'hui, il n'y a plus rien de sacré.

Tout est devenu profane.

Profané même.

La grossesse et l'accouchement sont traités comme une maladie.

Alors qu'il fut un temps où la naissance se déroulait dans un enclos sacré, qui était le centre naturel, social et psychologique du groupe féminin, dirigé par les femmes âgées, pleines d'expérience.

Cette enceinte féminine sacrée était aussi, au moment de la première menstruation, le lieu de l'instruction des femmes, de l'initiation à la fonction féminine,

— au principe féminin.

Les titres de la Déesse-Mère constituent une véritable litanie:

Mère-Nature,
Mère universelle,
Maîtresse des éléments,
Origine des temps,
Souveraine de l'esprit,
Reine des morts,
Reine des immortels,
Créatrice de la vie,
Reine des Cieux (du monde céleste),
Dame d'en Haut,
Maîtresse céleste,
Reine des enfers (du monde souterrain),
Reine de l'Univers,
Souveraine des Cieux,
Lionne de la Grande Assemblée,
Sa Sainteté...
Tellus Mater
Materia prima
Mater Magna
Mater Materia...

Il s'agit toujours de la même grande divinité aux aspects multiples, car Elle était immortelle, immuable et omnipotente.

Le statut de la femme

«Le statut élevé dont jouissaient les femmes est un des aspects les plus intéressants et les plus caractéristiques des débuts de la civilisation babylonienne. La mère y est toujours représentée par un signe qui veut dire "déesse du foyer". Celui qui commettait un péché, quel qu'il soit, contre la mère, ou la répudiait, était puni de bannissement. Tous ces faits indiquent clairement que ce peuple était régi autrefois par la loi de la filiation matriarcale.»

W. BOSCAWN, ***La Bible et les monuments*** (Fischbacher).

À l'époque où la société vénérait le féminin, à travers la Déesse-Mère, créatrice de toutes choses, il est évident que le statut de la femme était élevé. La femme jouait un rôle important dans la société antique: à Babylone, par exemple, les femmes sont citées comme juges et magistrats — ce qui atteste de la place vitale et respectée qu'elles occupaient au huitième siècle avant J.-C.

Chez certains peuples, le territoire revenait à la femme. Puisqu'on associait les produits de la Terre, qui nourrit ses enfants, et la terre elle-même au Principe féminin, il était normal que la propriété de la terre, au sens de territoire, revint à la femme, individuellement ou collectivement. Et les droits de propriétés étaient transmis de mère en fille — une filiation utérine, autrement dit **matrilinéaire**.

C'est sans doute la recherche du pouvoir politique, touchant à la forme de transmission du patrimoine et, en particulier, de la succession au trône, qui aurait provoqué l'affrontement des deux principes, entraînant la suprématie du principe mâle.

Dans son remarquable livre ***Quand Dieu était une femme***, Merlin STONE s'en est tenu au rôle de la femme dans les sociétés antiques, plus précisément dans le bassin de la Méditerranée.

Le rôle de la femme dans les **sociétés amérindiennes**, plus proches de nous dans le temps et dans l'espace, me paraît tout aussi révélateur.

Dans les sociétés amérindiennes, la femme jouait un rôle déterminant, ce dont on n'est à peu près pas conscient aujourd'hui. Par suite des conditions qui ont été faites aux Amérindiens depuis la conquête, ils n'ont pas été en mesure de maintenir intactes certaines de leurs traditions. Ce dont témoigne en particulier l'évolution de l'image de la femme amérindienne.

Pour se faire une idée de ce que représentait la femme amérindienne, voici ce qu'écrivait le père LAFITEAU, en 1724, dans ***La vie et les Mœurs des Sauvages américains, comparées aux Mœurs des premiers temps***, (Amsterdam, 1742) :

> « *C'est dans les femmes que consiste proprement la Nation, la noblesse du sang, l'arbre généalogique, l'ordre des générations, et la conservation des familles. C'est en elles que réside toute l'autorité réelle ; le pays, les champs et toute la récolte leur appartiennent ; elles sont l'âme des conseils, les arbitres de la paix et de la guerre ; elles conservent le fisc au trésor public ; c'est à elles qu'on donne les esclaves ; elles font les mariages, les enfants sont de leur domaine, et* ***c'est dans leur sang qu'est fondé l'ordre de la succession****. Les hommes au contraire sont entièrement isolés et bornés à eux-mêmes : leurs enfants leur sont étrangers ; avec eux tout périt : une femme seule relève la cabane. Mais s'il n'y a que des hommes dans cette cabane, en quelque nombre qu'ils soient, quelque nombre d'enfants qu'ils aient, leur famille*

s'éteint ; et quoique par honneur on choisisse parmi eux les chefs, ils ne travaillent pas pour eux-mêmes ; il semble qu'ils ne soient que pour représenter et pour aider les femmes...

*« ... Il faut savoir que les mariages se font de telle manière que l'époux et l'épouse ne sortent point de leur famille et de leur cabane pour faire une cabane à part. Chacun reste chez soi et les enfants qui naissent de ces mariages appartenant aux femmes qui les ont engendrés, sont censés être de la cabane et de la famille de la femme, et non point de celle du mari. Les biens du mari ne sont point à la cabane de la femme à laquelle il est étranger lui-même, et dans la cabane de la femme, les filles sont censées hériter par préférence aux mâles, parce que ceux-ci n'y ont jamais que leur subsistance. C'est ainsi qu'on vérifie ce que dit Nicolas de Damas touchant l'héritage (*chez les Lyciens*) et ce que dit Hérodote touchant la noblesse : parce que les enfants étaient de la dépendance de leurs mères, ils sont considérables autant que leurs mères le sont elles-mêmes... Les femmes n'exercent pas l'autorité politique mais elles la transmettent... »*

Cette dernière phrase présente beaucoup d'intérêt du point de vue de la Sagesse traditionnelle qui fait grand cas de l'opposition et de la complémentarité de l'autorité et du pouvoir : le ***pouvoir*** s'exerce à court terme (c'est l'exécutif), alors que l'***autorité*** s'exerce à long terme (c'est le conseil d'administration qui définit les grandes politiques).

Toutes les décisions qu'il faut prendre au jour le jour relèveraient du pouvoir — qui serait masculin ; alors que toutes les décisions concernant, pour ainsi dire, *la suite du monde*, relèveraient de l'autorité — qui serait essentiellement féminine.

Une société reposant surtout sur le principe féminin était bien différente de la nôtre: dans certains pays, en Éthiopie par exemple, les femmes pratiquaient le mariage communautaire et élevaient leurs enfants en commun, au point d'en venir à les confondre.

Il semble du reste, que les peuples adorateurs de la Déesse-Mère, groupés autour des sanctuaires, étaient souvent organisés selon le modèle communautaire.

La mise en commun des ressources, le partage des responsabilités en matière d'éducation, comme aussi bien le problème plus prosaïque de la garde des enfants et de leur regroupement en fonction de l'âge, débouchent naturellement sur le **modèle communautaire**.

J'ai pu observer, lors d'un séjour en Polynésie, le fonctionnement d'une société qui demeure encore à bien des égards matriarcale: en particulier dans les îles qui sont plus éloignées de Tahiti, les enfants sont encore élevés en commun; on procède aussi toujours entre familles à des échanges d'enfants, une forme d'adoption, de sorte que tous les enfants ont à la fois leurs vrais parents et leurs parents **faamu** (nourriciers) et ne font guère de différence entre les deux, vivant tantôt chez les uns, tantôt chez les autres, selon ce qui est le plus avantageux — pour les parents ou, bien souvent, pour les enfants... Je me souviens d'un enfant d'une dizaine d'années qui était **fiu** (qui avait, comme on dit chez nous, **son voyage**...) de ses parents auxquels il reprochait de se quereller à propos de tout; il a donc décidé de son propre chef d'aller vivre chez ses parents **faamu**... (Si vos enfants avaient le choix, resteraient-ils chez vous? C'est une question qu'il faut peut-être avoir le courage de se poser.)

Par ailleurs, il n'y a toujours pas d'orphelinat à Tahiti — puisqu'il n'y a pas d'orphelins. C'est même tout à fait impensable chez les Polynésiens qu'il puisse exister des orphelins dans le monde... Une société qui met l'accent sur le principe féminin accorde une place très importante aux enfants.

C'est le modèle communautaire qui répond le mieux aux besoins des femmes.

À l'Ère du Verseau, la société sera nécessairement **tribale** — d'une forme de vie communautaire qui reste à définir. Dans cette perspective, les revendications à propos des garderies annoncent peut-être des changements en profondeur.

Une autre particularité des sociétés matriarcales: l'expression érotique y est généralement plus ouverte. À l'époque où *Dieu était une femme*, le sexe faisait souvent partie des rituels. Il avait un caractère sacré. La copulation avait pour effet ***magique*** de maintenir la fertilité. On percevait un lien, non pas causal mais plutôt analogique, entre l'acte sexuel et la fertilité de la terre. Cela procède de la démarche magique dont le processus, en quelques mots, est le suivant: l'acte étant associé à la fertilité, il en suscite la *forme-pensée*, laquelle est créatrice.

Dans certains cultes, les prêtresses se livraient même à une forme de ***prostitution sacrée***; et ce, à une époque où la femme avait un statut social élevé, où dominait le principe féminin — contrairement à l'opinion qui veut que la prostitution soit nécessairement associée à la domination mâle.

La répression sexuelle paraît donc plutôt le fait des sociétés patriarcales qui détournent cette énergie en faveur de l'action et de la conquête du territoire — comme aussi bien de l'augmentation de la productivité.

> Dans le processus de l'éducation, nous enregistrons des connaissances, mais aussi des points de vue.
>
> Autrement dit, nous faisons l'objet d'un véritable conditionnement dont nous ne sommes pas conscients.
>
> Le monde nous apparaît d'une certaine façon et il nous est pratiquement impossible de le considérer d'un autre point de vue.

Le conditionnement est réussi dans la mesure où précisément le sujet ignore que ses attitudes ou ses comportements sont déterminées par ce conditionnement, alors qu'il croit au contraire les avoir adoptées librement.

C'est ainsi qu'il nous est difficile, peut-être même franchement impossible, d'accepter que la prostitution ait pu avoir un caractère sacré.

Ou encore, pour adopter un point de vue plus profane, que la prêtresse se livrant à la prostitution pouvait, ce faisant, remplir consciemment une fonction thérapeutique.

Bien que ce dernier point de vue nous soit plus accessible. Et c'est pour quoi, j'en fais état.

Puisque la sexologie marginale, sinon officielle, reconnaît qu'elle recourt à l'occasion aux services de prostituées-thérapeutes, ou même de femmes dites *ordinaires*, qui acceptent, dans certaines conditions, de remplir cette fonction.

C'est dans le contexte des Mystères, cérémonies et enseignements, dominés par le principe féminin, qu'il faut considérer la prostitution sacrée.

C'est la fonction de la mère-thérapeute et de la mère-initiatrice, dont il s'agit ici, à travers ses filles. « Chez tous les peuples de l'Antiquité, écrit Alexandre MAYPERTUIS, dans ***Le sexe et le plaisir avant le christianisme*** (Retz), des femmes se prostituaient de manière épisodique ou régulière, aux fidèles des dieux et des déesses. »

La prostitution sacrée s'opérait généralement dans l'enceinte d'un Temple ou d'un sanctuaire.

Associée aux rites de la fertilité, elle symbolisait aussi, à un niveau supérieur d'interprétation, l'union avec la divinité elle-même, ce qui se comprend d'autant mieux que, très souvent, la divinité en question était féminine.

Dans certains cas, comme le précise le grand historien des religions, Mircéa ELIADE, dans son

Traité d'histoire des religions, la prostitution sacrée symbolise aussi « *l'unité même des vivants dans la totalité de l'être* ».

Autrement dit, la prostitution sacrée remplissait une fonction qui serait comparable à celle de la communion dans la religion chrétienne...

Partout, on faisait donc l'amour dans les Temples. Car les jeux érotiques plaisent à la Déesse-Mère.

> « ***La Déesse qui permet aux jeunes filles très hospitalières de cueillir sans blâme, sur leur aimable couche le fruit de leur tendre jeunesse.*** »
>
> ***PINDARE, chantant APHRODITE, déesse des célestes amours***

Le principe masculin met l'accent sur MARS, dieu de la guerre ;
le principe féminin, sur VÉNUS, déesse de l'amour.
Les symboles de ces planètes ont du reste, été repris pour représenter l'homme et la femme.

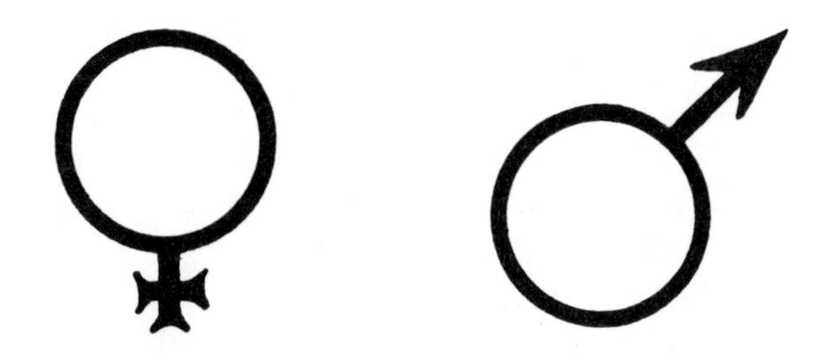

Les prostituées sacrées étaient entourées du même respect que celui qu'on témoigne à notre époque pour les religieuses. Il existait aussi parfois un lien qui nous étonne, entre la royauté et la prostitution.

C'est ainsi, par exemple, qu'HÉRODOTE raconte que CHEOPS prostitua sa fille HONTSEN afin de payer les ouvriers qui travaillaient à la pyramide...* HONTSEN qui voulait, elle aussi, laisser un monument à la postérité, demandait à ses visiteurs, en plus du prix exigé par son père, que chacun d'eux lui apportât des pierres, avec lesquelles, écrit HÉRODOTE, « *elle édifia une pyramide, au milieu du groupe des trois, devant la grande.* »

* C'est peut-être ici le vrai mystère des Pyramides...

Cette pyramide n'a pas été retrouvée, mais il existe une inscription ancienne selon laquelle, en effet, CHEOPS aurait fait construire une pyramide pour sa fille à côté de la sienne.

Il nous est difficile, encore une fois, de comprendre un comportement que notre conditionnement condamne.

Je ne dis pas qu'il faille revenir à de tels comportements d'autrefois.

Mais il importe de prendre conscience du conditionnement dont nous avons été l'objet.

Ce qu'on prend pour de la raison, de la logique, voire du bon sens, n'est bien souvent que le résultat de ce conditionnement.

Je me souviens, lors d'un voyage dans les îles de la Polynésie française de mon étonnement (et aussi d'une certaine excitation que je me suis bien gardé d'avouer) de découvrir une pratique qui m'a paru pour le moins curieuse : les mères ont en effet l'habitude de masturber leurs petites filles, procédant même à ce que l'on appelle l'*élongation du clitoris*.

Cette pratique remonte peut-être à l'époque lointaine où l'élite de cette race, les *Arioïs*, était éduquée dans les pratiques sexuelles dès le plus jeune âge.

C'est ainsi que les petites filles apprenaient une danse, qui exige une très grande souplesse du bassin, sous le regard attentif d'une éducatrice qui appartenait généralement à la génération des grands-parents...

Il faut s'ouvrir à l'idée que les choses peuvent se passer autrement.

Mais, quant à moi, je ne crois pas qu'on puisse vraiment échapper à son conditionnement.

Le fait d'en prendre conscience permet sans doute d'être plus libre, de se trouver devant un éventail de choix possibles plus vaste, et de ne pas s'étonner de ce qui est *autre*.

La tolérance à l'égard de ce qui est différent nous est devenue essentielle pour survivre.

La tolérance est une qualité féminine : elle découle de l'empathie, de la capacité d'adopter le point de vue de l'autre.

Il faut savoir aussi qu'en mettant l'accent sur le principe féminin, cela va obligatoirement entraîner de grandes transformations et exiger de profondes adaptations.

Notre société est *érotophobe* : nous détestons le sexe, nous le réprimons, nous le refoulons.

Je suppose, quant à moi, qu'en mettant l'accent sur le principe féminin, la société deviendra moins répressive à l'égard de l'Éros.

Et je le souhaite.

l'initiation

Si on veut pénétrer les Mystères de l'Antiquité, il est nécessaire de revoir l'idée qu'on se fait en général du *paganisme des Anciens*...

Les religions féminines de l'Antiquité n'étaient pas que des religions de fertilité et de fécondité, mais de grandes religions dont l'objet ultime était la **réalisation du SOI**.

Jusqu'ici les recherches sur les grands Mystères de l'Antiquité ont été assez décevantes.

Pourtant, les Mystères sont considérés comme les racines de la pensée ésotérique. Certains chercheurs estiment même que toutes les voies qui sont aujourd'hui accessibles, remontent aux Mystères de l'Antiquité.

Ce qui en ferait autre chose que de simples rituels de fertilité et de fécondité...

Les Mystères sont, à la fois, les doctrines et les cérémonies du culte — les rites initiatiques — qui se rapportent à ces doctrines.

Les doctrines des Mystères étaient d'un caractère philosophique élevé et, selon l'enseignement traditionnel, portaient sur trois idées fondamentales :

- l'Unité du SOI : tout participe du SOI, il n'y a rien en dehors du SOI ;
- l'immortalité de l'âme individuelle considérée comme une parcelle de l'âme universelle ;
- la réincarnation et la loi du karma : la nécessité où se trouve l'âme individuelle de revenir au plan matériel aussi longtemps qu'elle n'est pas parvenue à un degré de perfection qui lui permette de poursuivre son évolution sur des plans supérieurs ;

  la loi du karma, dite parfois *loi de répercussion*, ou de la cause et de l'effet, suppose que toute pensée, aussi bien que toute action, produit un effet qui doit nécessairement remonter à la cause, dans cette vie ou dans une autre, au plan matériel ou ailleurs.

les Mystères d'Eleusis

Ce sont les Mystères de DÉMÈTER et de sa fille PERSÉPHONE/CORÉ qui nous sont, malgré tout, les plus accessibles.

le mythe

Je réduis le mythe à ses éléments structurels:

DÉMÈTER, déesse-mère, a une fille, CORÉ, enlevée par HADÈS, dieu des enfers.

DÉMÈTER veut délivrer sa fille.

Elle obtient que CORÉ — qui est devenue PERSÉPHONE depuis son mariage avec HADÈS — passe une partie du temps seulement prisonnière de son époux et l'autre partie, libre.

l'interprétation

Il y a deux niveaux d'interprétation.

Mais le concept qu'on retrouve aux deux niveaux d'interprétation est le même: celui de cycle.

Une partie du temps, PERSÉPHONE est *prisonnière* et l'autre, *libre.*

l'interprétation *exotérique*

Cette interprétation procède, comme c'est le cas pour tous les Mystères antiques, des rites agraires.

Pour les non-initiés, DÉMÈTER est la déesse des moissons. Comme ISIS, en Égypte, est la déesse de l'agriculture... Toutes ces déesses sont autant de visages de la Terre-Mère, la grande déesse de la fertilité et de la fécondité.

HADÈS est le dieu des Enfers: le séjour des morts, le monde souterrain — dans le langage des rites agraires, c'est la **saison morte**.

Mais DÉMÈTER, déesse de la fertilité, obtient que PERSÉPHONE revienne périodiquement sur terre. C'est le **retour cyclique des saisons**.

Une partie de l'année, donc, PERSÉPHONE est prisonnière **sous terre** ;

l'autre partie, elle est libre **sur terre**.

l'interprétation *ésotérique*

Cette interprétation porte sur trois points de l'Enseignement traditionnel :

- le premier est d'ordre psychique et concerne ce qu'on appelle la ***projection astrale*** ;
- le second porte sur le cycle des incarnations successives, autrement dit la ***réincarnation*** et la ***loi du karma*** ;
- le troisième est que tout, la Matière et l'Esprit, participe du SOI.

la projection astrale

« Que chacun se souvienne. La parcelle d'être qui fut dévolue à sa conscience au commencement du monde n'était pas irrémédiablement séparée de l'être universel, de l'Esprit partout présent sous ces symboles différents que nous appelons les aspects de la matière et qui forment le monde extérieur.

« Alors, sa vie psychique était celle de l'aube de toutes vies, celle de l'enfant, celle du primitif, celle du rêveur aussi, car le sommeil est un retour rythmique au pays d'avant-naître. »

Roger GILBERT-LECOMPTE, ***Le grand jeu***.

C'est ainsi que certaines Écoles rattachées à la pensée traditionnelle appellent l'expérience qui consiste à se trouver consciemment en dehors de son corps. L'expression anglaise employée le plus souvent est « *out-of-body-experience* » (ou OOBE).

De nombreux chercheurs se penchent présentement sur ce phénomène qui est, d'une certaine façon, lié à la preuve tant recherchée de la survie de la conscience individuelle après la mort du corps physique : en effet, s'il est possible à la conscience de se trouver en dehors du corps à l'occasion de ce qu'on peut appeler un « *voyage* », faute d'une meilleure expression, la probabilité de la survie de cette même conscience après la mort, est d'autant plus grande.

L'interprétation, ici, se rapporte à un autre cycle: celui du sommeil et de la veille.

L'état de veille est donc celui pendant lequel l'âme, comme PERSÉPHONE, est prisonnière de la matière au plan physique et de la nature humaine — qui est le **séjour des morts**.

Alors que, selon la Pensée traditionnelle, pendant le sommeil, l'âme est libre et se retrouve dans l'astral — qui est le **séjour des dieux**.

Même si peu d'entre nous en conservent le souvenir conscient, tout se passe comme si nous menions deux vies en alternance, sans parvenir (pour la plupart d'entre nous) à établir de rapport entre ces deux mondes.

Non seulement les Anciens, je pense ici aux philosophes et aux prêtres des Mystères, connaissaient la projection astrale, mais certains d'entre eux la pratiquaient couramment et en toute conscience, de même que certains initiés, les techniques qui permettent de provoquer consciemment la projection astrale faisant partie de l'enseignement.

Il s'agissait bien, en fait, d'un «*voyage*» au-delà de la mort.

Ou encore, pour employer une expression plus actuelle — qui recouvre du reste, un ensemble plus vaste d'expériences diverses, — d'**états altérés de conscience**.

(Mais il ne s'agit pas encore de l'*expérience transpersonnelle*, dont je parle plus loin, et qui est d'un plan encore plus élevé.)

Maintenant, à la lumière de ce que nous savons de l'initiation aux Mystères d'Eleusis, tout s'éclaire.

Maintenant, nous pouvons comprendre, par exemple, cette citation:

> «***L'âme, au moment de la mort, fait les mêmes expériences que font les initiés aux Grands Mystères.***»
>
> PLUTARQUE*

* J'ai écrit plusieurs pages sur cette question dans ***La Voie Initiatique*** (Ferron éditeur).

L'initiation est donc effectivement une forme de mort. Une mort dont on revient.

On meurt pour **renaître**.

Mais on n'est plus le même. On a, désormais, la ***connaissance***. Au sens de ***naissance avec***. Avec l'assurance d'être éternel ; avec l'assurance d'appartenir à l'autre monde, au monde des vivants, — au ***séjour des dieux***. La véritable naissance est celle de l'âme qui se libère de son enveloppe charnelle.

La mort est une naissance.

Les Grecs appelaient l'initiation *autopsie* qui signifiait : *action de voir de ses propres yeux*.

Chez les Tibétains, ceux qui font le voyage au-delà sont appelés *delogs : « ceux qui sont revenus de l'au-delà. »*

Le philosophe APULEIUS, à son retour d'une projection astrale, au cours d'une cérémonie d'initiation aux Mystères d'ISIS, la déesse égyptienne, écrit :

> *« Approchant de la frontière de la mort, j'en ai franchi le seuil et je fus conduit à travers les éléments. Bien qu'il fut minuit, la lumière était brillante. J'avançais en présence des dieux. »*

C'est la réponse à l'objection :

— « *Personne n'est jamais revenu pour dire ce qui se passe après la mort...* »

L'initié, par définition, **est allé voir de ses propres yeux**.

la réincarnation et la loi du karma

Il importe ici de savoir que, selon la Pensée traditionnelle, il existe trois plans et plusieurs subdivisions:

physique

psychique: éthérique — astral

spirituel

L'éthérique participe à la fois du physique et du psychique.

À la lumière de cette information, revoyons le mythe des Mystères d'Eleusis:

HADÈS est le dieu des Enfers — pour les Grecs *le séjour des morts* — cette définition est particulièrement importante pour saisir l'interprétation ésotérique:

HADÈS règne plus précisément sur la partie des Enfers que les Anciens appelaient...

l'***Hadès*** (pour nous, l'*éthérique*) par opposition
aux ***Champs-Élysées*** (pour nous, l'*astral*).

Il y a donc confusion, sans doute voulue, entre le lieu et celui qui règne sur ce lieu.

Comme on sait, l'âme personnifiée par PERSÉPHONE est prisonnière de l'Hadès.

Mais l'Hadès peut aussi s'entendre comme le **plan physique** — celui où nous sommes.

Et c'est précisément sur ce point que porte l'interprétation ésotérique — *secrète* — des Mystères. Pour la Pensée traditionnelle, l'âme de chacun d'entre nous en tant que parcelle de l'âme universelle, est une partie du temps prisonnière de la matière au plan physique et de la nature humaine: elle habite alors le *séjour des morts*; et l'autre partie, elle est libre et retourne au *séjour des dieux*.

C'est le cycle des incarnations successives.

Car, pour la Pensée traditionnelle, c'est ici-bas que nous sommes morts.

une expérience transpersonnelle

> «*C'est ainsi que tu seras passé du monde des effets à celui des causes, du transitoire à l'éternel, du créé au créatif, de la mort à la vie. Bref, tu seras parvenu à ta résurrection en un être éternel. Telle est l'initiation.*»
>
> Elizabeth HAICH, ***Initiation***.

Ultimement, l'Enseignement des Mystères débouchait sur l'expérience transpersonnelle — par opposition à celle des *états altérés de conscience*.

Jusqu'ici, la démarche ne dépassait pas le niveau du psychique.

La projection astrale est du domaine du psychique — du créé et non du créatif.

Le psychique, comme le physique, fait partie de l'illusion — la réalité psychique comme la réalité physique appartient au monde de la transformation.

Quant au processus de la réincarnation, il se poursuit, selon la Pensée traditionnelle, jusqu'à ce que l'être ait pris assez de recul par rapport au système dans lequel il se trouve engagé, pour poursuivre son évolution dans un autre système: au-delà du monde de la transformation.

Le spirituel, en revanche, ne connaît pas la transformation: **IL EST CE QUI EST**.

On ne peut même pas dire: il a été, il sera..., puisqu'il se définit au-delà de l'espace-temps.

Le mot *époptе — celui qui a vu de ses propres yeux* — peut aussi s'entendre au sens de la **réalisation du soi**.

Le plus haut objectif à atteindre est l'union avec l'Un.

«*Je suis Celui que j'adore*», clamait un saint soufi qui était parvenu à cette union avec l'Un.

Mais il n'a pas été compris: on l'a mis à mort.

« L'immortalité ne surgit pas après la mort, elle n'appartient point à la condition ***postmortem****, elle se forme dans le temps et elle est le fruit de la mort initiatique. »*

Marie-Madeleine DAVY, ***Le dictionnaire des symboles.***

Pour les initiés aux Mystères, **devenir immortel** ne signifie pas, comme on pourrait le croire, ne plus avoir à mourir;

mais, au contraire, ne plus avoir à renaître: ne plus avoir à revenir au plan physique — qui est la mort.

Après avoir surmonté les épreuves (trois, parfois sept épreuves), le héros devient immortel.

Comme, par exemple, après avoir terrassé le dragon — symbole de la matière, de l'incarnation au plan physique.

À la lumière de ce qui précède — qui est une des clés de l'enseignement ésotérique — relisez certains textes sacrés, certains récits mythologiques (dans une version aussi près que possible de la version originale, les traducteurs ou les adapteurs n'étant pas toujours des initiés), certaines légendes ou même certains contes (ceux de Charles PERREAULT, incidemment, ont conservé à peu près tous les éléments qui permettent d'en tirer une interprétation ésotérique) et vous serez étonné de constater combien toute cette littérature est riche d'enseignement pour qui possède la clé.

Devenir immortel signifie donc **n'avoir plus à mourir**, au sens de n'avoir plus à renaître pour mourir, ou encore de **n'avoir plus à redevenir mortel**.

Tel est en effet le *secret ultime* des Mystères, secret qui ne peut être révélé sans risques, — à savoir que chacun d'entre nous est Dieu.

En ce sens que tout participe du SOI.

L'initiation ultime consiste donc à en faire l'***expérience directe:*** à fusionner sa conscience avec le SOI, qui est l'essence véritable de l'être.

Tel est, en quelques pages, l'enseignement qui fleurissait au cœur des Temples consacrés au culte de la Déesse-Mère.

C'est ce que je voulais contribuer à démontrer.

Autrement dit, la grande religion de la Déesse-Mère — sous le nom de l'une ou de l'autre des Déesses qui l'ont incarnée à différentes époques, dans différents lieux — a véhiculé l'enseignement de la Pensée Traditionnelle, dite parfois ésotérique.

Il est évident que cette religion matriarcale ne peut pas se ramener à quelques rituels plus ou moins érotiques...

Les Mystères célébrés, puisqu'ils étaient des cérémonies, et enseignés, puisqu'ils étaient aussi des enseignements, dans les Temples des grandes déesses, sont à l'origine de la pensée que véhiculent les Écoles qui se rattachent à la Pensée Traditionnelle.

Hymne tantrique à la Grande Déesse.

Ainsi Te louerai-je, Ô reine des trois Cités
Pour atteindre l'objet de mon désir,
Dans cet hymne que chanteront les hommes à Ta gloire,
Source de béatitude, Toi que les dieux adorent
Tu es l'origine du monde
Toi qui n'as pas d'origine;
Des hymnes, par centaines, le proclament.

Ô Épouse-Mère de Shiva,
Les Sages pour Te décrire se réfèrent aux données
de notre monde physique,
Les Livres Saints T'évoquent sous une forme subtile,
Certains Te nomment le Verbe,
D'autres Te considèrent comme la matrice de l'univers
Mais pour nous, Tu es un océan d'amour infini
Et rien de plus.

Sous le visage de la lune
Tu symbolises, Ô Mère, la volonté et le désir
Et tu crées le monde vibrant de sons
Avec leurs innombrables effets;
Sous le masque solaire
Tu as le pouvoir de rendre toutes choses visibles
Et tu maintiens la création;
Sous l'aspect du feu Tu consumes l'univers entier
À la fin des âges.

Les hommes T'adorent sous de multiples noms:
Femme primordiale;
Celle qui sauve de l'océan des renaissances;
L'Opalescente; la Noire, brûlée par le feu Yoga;
Déesse de la parole et de la science;
Shiva, Shakti, au triple regard,
Qui révèle les voies de la Connaissance.

Ô Mère de l'univers,
Celui qui T'adore
en chantant douze des versets de cet hymne,
Obtient la maîtrise des morts et leurs pouvoirs;
Il atteint à Toi
Et au centre immuable de l'universelle giration.

vers la libération de la femme et, avec elle, du principe féminin.

« La certitude que l'infériorité féminine actuelle n'est pas déterminée biologiquement, qu'elle n'a pas été constante au cours de l'histoire et qu'autrefois la vie sociale fut organisée et dirigée par notre sexe, devrait redonner confiance à toutes les femmes qui aspirent aujourd'hui à la libération. »

Evelyn REED, ***Féminisme et anthropologie*** (Denoël/Gonthier).

L'émancipation de la femme depuis la Révolution française, qui reconnaissait en principe l'égalité entre les deux sexes, est une histoire complexe.

Dans les pages qui suivent, je veux attirer l'attention sur le rôle important que la pensée ésotérique a joué dans ce qu'on appelle aujourd'hui la libération de la femme.

Il faut savoir que la pensée ésotérique, à travers certaines Écoles occidentales, telles que la Rose-Croix, la Franc-Maçonnerie, la Théosophie, a longtemps été et demeure un excellent véhicule de la pensée libérale : de l'école laïque, par exemple, ou encore de l'émancipation de la femme, de l'œcuménisme, du mondialisme, de l'affranchissement des esclaves, mais aussi parfois de l'indépendance nationale — ce fut le cas pour les États-Unis où certains symboles maçonniques se retrouvent jusque sur le billet de un dollar, ce qui témoigne du rôle joué par cette institution à un moment de l'Histoire américaine.

Vers la fin du XIXe siècle, les idées d'un philosophe français, Claude-Henri de SAINT-SIMON, étaient assez répandues pour qu'on puisse dire que la question de l'émancipation de la femme se posât avec acuité.

Le comte de SAINT-SIMON, précurseur de la pensée socialiste, s'affichait comme le partisan convaincu de « *l'égalité de tous les membres de l'espèce humaine* » et, donc, de celle entre les hommes et les femmes.

On se demande aujourd'hui ce que pouvait avoir de choquant une telle opinion. C'est que les peuples guerriers refoulent les qualités féminines. N'ont d'intérêt que les tendances mâles et agressives : force, courage, domination... L'opposition au projet des droits égaux à la femme, tenait entre autres, à ce qu'elle n'accomplit pas de service militaire et ne fait pas la guerre.

En 1881, une loge maçonnique en France, la première, ouvrit ses portes à une femme. C'était la loge des Libres-Penseurs du Pecq, rattachée au rite écossais ; elle accepta dans ses rangs Maria DERAISMES qui devait plus tard devenir la fondatrice de la franc-maçonnerie féminine.

Au cours de la cérémonie d'initiation, le vénérable de la loge déclara :

> « *En initiant une femme à nos "mystères" nous voulons proclamer l'égalité des deux êtres humains qui concourent physiquement à la propagation de notre espèce ; nous voulons provoquer en sa faveur l'émancipation intellectuelle et morale de laquelle, en vertu de cet axiome brutal "la force prime le droit", l'homme s'est toujours désintéressé. (...)*
>
> « *Nous sommes pénétrés de cette idée que l'état normal de la société ne peut s'améliorer effectivement sans le concours de la femme, première éducatrice de l'enfant, et que détruire chez elle les préjugés, en les combattant par la lumière et la lumière maçonnique, c'est préparer pacifiquement la véritable émancipation sociale.* »

À cette époque commençait aussi à se répandre en Occident les idées défendues par un groupe philosophique connu sous le nom de Théosophie, qui devait jouer un rôle considérable dans l'émancipation de la femme.

La Théosophie était dirigée par Madame Helena Petrovna BLAVATSKY, dont le renom a été tel pendant plusieurs années à travers l'Europe et l'Amérique qu'elle en vint même à être connue par ses initiales: HPB.

On parlait fréquemment dans les journaux des activités des membres les plus éminents de la Théosophie. On a du mal à imaginer aujourd'hui la popularité de ce mouvement et l'influence qu'il a eu sur les deux continents et jusqu'en Inde.

La Théosophie est un mouvement philosophique qui se rattache à la Pensée traditionnelle. Cette École devait aussi largement contribuer au rapprochement de l'Orient et de l'Occident; comme du reste, à celui de la Science et de la Mystique.

La Théosophie mettait l'accent sur la nécessité de *valoriser le principe féminin.*

Il n'y a pas de doute que les femmes, qui ont joué un rôle déterminant dans ce mouvement, visaient non seulement à la libération de la femme mais aussi à la création d'un véritable pouvoir féminin.

Madame BLAVATSKY s'intéressait tout particulièrement à ce qu'on pourrait appeler la *sexualité des religions*, — le type de valeurs sur lesquelles les religions mettent l'accent.

Dans son ouvrage sur ***La Théosophie***, *in* Collection des Personnages mystérieux et des Sociétés secrètes, Jacques LANTIER écrit: «***Madame BLAVATSKY, qui avait sur l'histoire des religions des vues originales, estimait que l'émancipation de la femme et l'institution d'un pouvoir féminin ne pourraient s'accomplir que si elles découlaient tout naturellement d'une évolution de l'opinion publique occidentale en matière religieuse.***»

Selon HPB, l'Occident ne connaîtrait la paix que dans la mesure où il serait influencé par les traditions védiques et bouddhistes qui se fondent sur le principe féminin.

Dans l'un des ouvrages fondamentaux de la Théosophie, ***Isis dévoilée***, elle montre que les religions sont partagées en mâles et en femelles. Les unes accordent la prépondérance à la paix, à la tranquillité, à la sensualité, à la fécondité, à l'adaptation au milieu; les autres à l'esprit de conquête, d'entreprise et d'aventure, ou prosélytisme...

Elle estimait que pour survivre, l'Occident devait mettre l'accent sur les valeurs féminines. Ce qui supposait, d'abord et avant tout, de **libérer la femme**.

Le mouvement théosophique devait contribuer à répandre la pensée orientale en Occident, surtout l'Hindouisme, en lui restituant ses valeurs archaïques; et à ranimer cette pensée auprès des Indiens de même que le Bouddhisme en Orient...

Ce qui peut paraître surprenant.

Mais c'est ainsi, par exemple, que GANDHI devait re-découvrir l'Hindouisme et les bases de la culture indienne, alors qu'il se trouvait en Angleterre, au cours des réunions de la loge théosophique à laquelle il appartenait.

À cette époque, les élites de l'Inde, sous les pressions de la civilisation anglaise, se désintéressaient de leurs traditions populaires.

C'est Madame BLAVATSKY qui a convaincu GANDHI, comme l'écrit Jacques LANTIER que « *l'Hindouisme était d'une essence supérieure et qu'il ne fallait pas croire les missionnaires anglais...* »

La Théosophie a beaucoup fait pour l'émancipation des peuples d'Orient, maintenus en tutelle par les Occidentaux, en particulier l'Inde.

Cela revenait à contribuer à la libération du principe féminin.

Pour lutter contre la supériorité mâle en Occident, HPB et les femmes qui dirigeaient, à toutes fins pratiques, le mouvement théosophique estimaient qu'il était nécessaire de répandre, par la parole et par l'écrit, des idées opposées au principe masculin: de défendre la paix universelle, de condamner la guerre, de prôner l'égalité des sexes, de rendre la femme libre de son corps, de faire prendre à l'amour le pas sur la violence...

Il ne s'agissait pas, selon elles, de libérer la femme pour qu'elle s'insère dans le système mâle; mais de la libérer pour qu'elle crée une société qui se définirait en fonction du principe féminin.

Telle est, en gros, l'action féministe menée par la Théosophie.

HPB avait une grande force de caractère et beaucoup de courage. À une époque où l'Église catholique était toute-puissante, elle accusa dans ses écrits les premiers Pères de l'Église d'ignorance: ils se seraient bornés, selon elle, à copier leurs écrits dans des ouvrages plus anciens.

Elle écrit dans ***Isis dévoilée***:

« *La même chose a lieu pour la Sainte Vierge. Leur génie inventif leur fait si bien défaut qu'ils n'ont fait que copier, dans les religions égyptienne et hindoue, les prières adressées à leurs vierges-mères respectives. Nous les plaçons en regard les unes des autres, afin de rendre plus clairement notre pensée:*

Hindoue	***Égyptienne***	***Catholique romaine***
Litanies à Nari Notre-Dame Vierge (Davanaki)	*Litanies de Notre-Dame Isis: Vierge*	*Litanies de Notre-Dame de Lorette: Vierge*
Sainte Nari Maria ma mère de la fécondité perpétuelle	*Sainte Isis Mère universelle Muth*	*Sainte Marie mère de la divine grâce*
Mère de Dieu incarné: Vishnou	*Mère des Dieux Athyr*	*Mère de Dieu*
Mère de Krishna	*Mère de Horus*	*Mère du Christ*
Virginité éternelle Kanyabava	*Virgo generatrix Neith*	*Vierge des Vierges*
Vierge du Lotus blanc Pedma	*Lotus sacré*	*Rose mystique*
Matrice d'or Hyrania	*Sistre d'or*	*Maison d'or*
Lumière céleste	*Astarté*	*Étoile du matin*
Immaculée et conçue sans péché	*Isis, Vierge mère*	*Marie conçue sans péché.* »

(extraits)

« La Trinité égyptienne, comme vous le savez, se compose de : Osiris, Isis et Horus. La Trinité chrétienne primitive consistait en : Père, Mère et Fils. Dans la philosophie hindoue, Brahmâ est le Père, Avidyâ (féminin) la Mère, et Mahat le Fils. C'est le principe féminin qui est la base virtuelle de toute manifestation...
« C'est ce principe féminin qui donne naissance à l'univers. C'est lui qui conserve, réunit toutes choses. La société n'existerait pas sans la Femme, qui la maintient unie. Partout vous trouverez que le principe féminin est à la fois le plus fort et le plus tendre. Il agit, sans bruit, mais continûment. Il sait souffrir et rester silencieux. Voyez même sur le plan physique : l'homme qui souffre clame sa douleur dans les rues ; mais pénétrez au foyer, et vous verrez que c'est la femme qui pâtit le plus, sans dire mot. Mais malheur à ceux par qui elle souffre : "Les dieux n'acceptent pas leur offrande au foyer où la femme n'est pas vénérée", a dit Manou. »

J.C. CHATTERJI (Brâhmachârin Bodhabhikshu) doctrinaire de la théosophie indienne : ***La Philosophie ésotérique de l'Inde*** (Publications théosophiques, Paris 1909).

une maîtresse femme: Annie BESANT.

J'ai un faible, je dois l'avouer pour la personnalité d'Annie BESANT qui devait à un moment diriger le mouvement théosophique.

Elle naît à Londres, le 1er octobre 1847, dans une famille aisée.

Son père meurt alors qu'elle est en bas âge. Ce qui a certainement une importance considérable dans sa vie: du point de vue psychologique, elle se trouve libérée de l'image paternelle. Elle va donc par la suite la rechercher, en même temps que, pour ainsi dire, la devenir elle-même.

À seize ans, on la trouve belle, intelligente, cultivée, franche, primesautière et d'une imagination peu commune.

Elle épouse le Révérend BESANT.

Mais elle écrit: «*Nous étions un couple fort mal assorti, mon mari et moi. Il avait une haute idée de l'autorité de l'un et de la soumission due par l'autre...*»

Elle finit par rompre avec son mari et rompre avec l'Église — double scandale.

Elle se convertit alors aux idées matérialistes et anticléricales.

Contrainte de travailler, elle écrit des contes.

Elle connaît des années difficiles.

Elle lance une sorte de défi à la société: elle se met à publier des pamphlets d'une grande acidité.

Elle attire la sympathie des libres-penseurs et des francs-maçons.

Elle découvre la valeur philosophique et morale du contrôle des naissances. Elle en devient l'apôtre.

Abandonnée par ses amis pour ses idées subversives, elle se lance à fond dans l'action sociale.

Elle milite en faveur d'un socialisme matérialiste.

On est alors en 1875...

Dans le cadre de son action révolutionnaire, elle embrasse la cause de la libération de la femme.

Elle se lance dans une grande campagne pour défendre le droit des familles de limiter le nombre de leurs enfants.

Elle profite de la théorie du contrôle des naissances, considérée à l'époque comme scandaleuse, pour dénoncer les abus de l'inégalité des sexes.

Elle prend de plus en plus la parole en public.

Elle devient consciente de son pouvoir sur les foules.

C'est à cette époque qu'on lui retire la garde de sa fille. La justice décida qu'il convenait d'enlever à une athée « *la charge d'une âme immortelle* ».

Elle est la première femme à se présenter aux examens de l'enseignement supérieur — jusqu'en 1878, les femmes en Angleterre n'avaient pas accès à ce niveau du système d'enseignement.

Elle enseigne pendant huit ans.

Elle se lance en politique. À cette époque, les femmes ne pouvaient être élues députés ; elle contribue largement à faire élire **son** candidat.

Le nouvel élu refuse de prêter serment sur la Bible. L'élection est donc annulée.

Nouvelle campagne : nouvelle victoire. Cette comédie se répéta cinq fois. À chaque nouvelle élection, le candidat gagnait des voix. Finalement, on l'accepte à la Chambre. C'était en 1885.

BESANT est de tous les meetings, de toutes les manifestations. Elle devient secrétaire permanente d'un syndicat de travailleuses, l'Union des Allumettières.

Mais elle veut faire plus.

Elle estime qu'elle perd son temps à vouloir libérer l'humanité par de tels moyens.

Elle fait une dépression. Un jour, *Pall Mall Gazette* la charge de faire un article sur le dernier livre de Madame BLAVATSKY, ***La Doctrine secrète***.

C'est une révélation.

Du coup, elle comprend le sens de sa vie.

Elle rencontre HPB.

En quelques jours, elle rompt avec l'action sociale et décide de se consacrer à la Théosophie.

Elle se jette en larmes aux pieds de la grande Helena ; elle lui dit qu'elle se considère désormais comme sa fille.

Elle devient la propagandiste du mouvement.

Ses articles et ses ouvrages la font connaître dans le monde entier.

Son rayonnement parfois dépasse à cette époque, celui de HPB — qui du reste, voit en elle une femme capable de lui succéder, de mener à bien la tâche d'émancipation et de fraternité dont elle rêve.

Mais ce n'est pas facile. HPB a beaucoup de mal à introduire la *militante rouge* dans les cercles élevés, fort embourgeoisés, de la Théosophie.

À partir de 1891, Annie BESANT qui est devenue membre de la section suprême, dite Section ésotérique, réservée aux initiés supérieurs, multiplie les conférences et les livres.

« *Il est difficile de se représenter maintenant*, écrit Jacques LANTIER dans son ouvrage ***La Théosophie****, ce qu'était l'action menée par les "théosophistes". On peut dire que leurs efforts, conjugués à ceux de divers groupes spirites et maçonniques durant la fin du XIXe siècle, bouleversèrent totalement la situation religieuse, philosophique et morale des classes bourgeoises.* »

L'activité d'Annie BESANT devient débordante : de 1895 à 1907, elle publie plus de soixante titres... Elle a toujours en chantier une vingtaine de sujets. Elle prononce deux à trois cents conférences par année, parfois trois dans la même journée.

Elle se rend en Inde où existe déjà une université théosophique, à Adyar.

Elle fonde le Collège hindou de Bénarès, premier établissement scolaire de la Société Théosophique.

L'ancienne militante socialiste devient la championne de la mystique hindoue.

Mais la politique l'intéresse encore, dans la perspective de la libération du principe féminin. Elle va donc travailler à libérer l'Inde de l'exploitation coloniale.

Elle fait du collège de Bénarès, qu'elle fonde, le noyau de la future université hindoue.

Elle crée l'École Centrale des **filles**, encore à Bénarès — une révolution.

Elle estime que les idées théosophiques ne triompheront que par l'éducation populaire. Elle contribue donc à ouvrir de nombreux établissements scolaires réservés aux indigènes. Une œuvre considérable. Au point que certains ont dit d'Annie BESANT qu'elle est la fondatrice de l'instruction publique indienne.

Pendant des années, elle mène le combat pour l'émancipation de l'Inde.

Sa popularité est telle qu'elle est, à un moment, désignée comme présidente du Congrès national indien. Ce qui est sans doute la plus spectaculaire promotion politique qu'on puisse imaginer: leader nationaliste dans un pays **étranger** de quatre cents millions d'habitants...

Annie BESANT a auprès d'elle GHANDI — qui devait à la Théosophie la re-découverte de ses racines hindoues et de l'Hindouisme.

À Adyar, elle fait l'acquisition de vastes terrains. Elle fait édifier un immense temple maçonnique. Elle crée une bibliothèque qui va devenir un des hauts lieux spirituels du monde.

À 80 ans, elle décide de reprendre ses voyages.

Elle fait des tournées de conférences, se déplaçant en «*aéroplane*»...

Elle meurt en Inde en 1933.

Jacques LANTIER écrit: «*Sa dépouille fut revêtue d'un sari blanc brodé d'or, orné des insignes maçonniques et théosophiques. On l'enveloppa dans le drapeau rouge et vert des bouddhistes, et on l'exposa à la vénération de foules innombrables.*»

Surprenant et passionnant destin.

éléments de définition
du Principe féminin
et réflexions
sur la femme retrouvée
dont naîtront
des **enfants de lumière...**

... la femme est rare

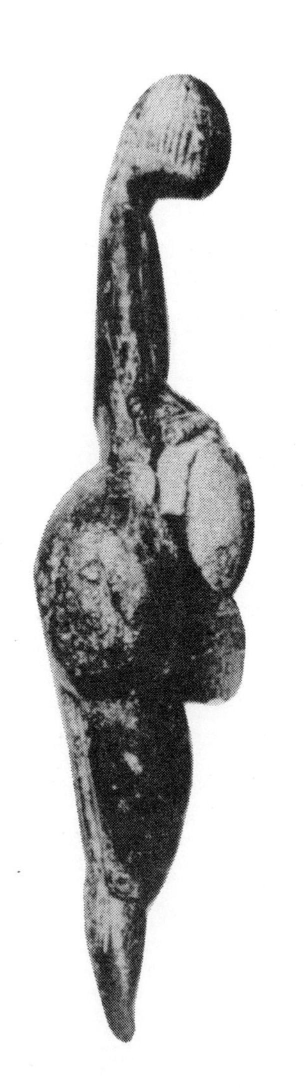

*« **Où finis-tu ? La terre oscille***
Et toi, dans le fracas des monts
Déjà tu renais du limon,
Un serpent rouge à la cheville
Femme, tout en essors et courbes
Et tièdes aboutissements
Lumière et nacre, ombres et tourbes
***Faite de quels enlisements ? ...** »*

Ces vers sont d'un poète oublié, Robert GANZO, retrouvés par Louis PAUWELS qui les reproduit dans son livre ***Comment devient-on ce que l'on est ?***; ils sont extraits d'un hymne à la « *Vénus de Lespugne* ».

> «*La femme réduite à une médiocre contrefaçon de l'homme est de plus en plus manifeste et omniprésente. Il nous en vient une impression de décoloration du monde accentuée et définitive.*»
>
> Louis PAUWELS, ***Comment devient-on ce que l'on est*** (Stock).

Les filles de la Déesse-Mère sont les vraies femmes. Car il y en a de fausses, qui sont comme une contrefaçon de l'homme, comme leur «*double en creux*», écrit Louis PAUWELS. Alors que les vraies femmes connaissent de l'intérieur tous les secrets de la nature, par identité.

Les filles de la Déesse-Mère participent encore de la religion de la grande femelle primitive qui est comme l'agent du contact de l'homme avec quelque chose de surnaturel — qui, autrement, lui échappe. «*Mais la femme est rare*», écrit PAUWELS.

Il pense à celle qui connaît le secret des eaux, des pierres, des plantes, des bêtes. À celle que les anciens gnostiques appelaient «*la femme de l'homme*» et «*la rosée de lumière*»; par opposition à l'autre qui est légion, «*la femme de la femme*». Avec d'autres, il pense que la sorcière brûlée, c'est la vraie femme, la «*femme de l'homme*». Il parle de la vraie femme comme de «*la femme de la religion primitive que l'on pourchasse, que l'on détruit, afin d'en effacer à jamais le souvenir, pour que l'homme ne possède plus que la fausse femme, son insatisfaisant double en creux, et cesse de croire en un paradis sur terre.*»

Ces propos trouvent en moi un écho.

Comme lui, comme tant d'autres sans doute, je m'ennuie de la femme.

l'en-soi

La sexualité de l'homme est tournée vers l'extérieur — vers l'objet à conquérir;

la sexualité de la femme, vers l'aboutissement intérieur des satisfactions.

C'est ainsi que Dominique DALLAYRAC explique l'opposition fondamentale des sexes dans son livre ***L'important, c'est la femme*** (Éditions Select).

Les deux démarches coexistent dans tous les êtres, à quelque sexe qu'ils appartiennent, par le fait de l'androgynie constitutionnelle.

Quand je parle de libérer la femme, je veux aussi parler de libérer la femme qui est en tout homme, — c'est pour quoi je parle de préférence de *libérer le principe féminin.*

Il y a affrontement des valeurs masculines et des valeurs féminines, dans le monde comme en chacun de nous:

les valeurs masculines, explique DALLAYRAC, sont celles de l'***hors-soi***; les valeurs féminines, celles de l'***en-soi***.

Autrement dit, l'homme ***fait***, la femme ***est***.

La femme a donc un contact avec l'intérieur, avec l'***en-soi***, avec la notion même de bonheur. Sa communication avec la vie passe par l'intérieur: la vie coule en elle, la vie prend naissance en elle. Elle a la capacité d'écouter en elle ce qui croît, mûrit, se développe.

Il faut aujourd'hui trouver un meilleur équilibre entre ***faire*** et ***être***. Entre les valeurs des deux principes. Ce qui suppose qu'il faut, à l'étape actuelle, favoriser le principe féminin, celui des valeurs de l'***en-soi*** par opposition au principe masculin, celui des valeurs de l'***hors-soi***. Afin de parvenir à une synthèse, à une société profondément androgyne.

Il est évident que, dans cette perspective, l'émancipation de la femme est absolument nécessaire.

*« La seule issue vers un changement de société tient en un changement radical de la mentalité de l'homme complété d'un bouleversement de la destinée qu'il a imprimée à sa nature psycho-sexuelle profonde. Seules, les femmes pourront lui enseigner — en les socialisant — les merveilleuses richesses de l'**en-soi**: garantes du bonheur individuel et de la PAIX UNIVERSELLE.»*

Dominique DALLAYRAC, ***L'important, c'est la femme*** (Éditions Select).

Mais cette émancipation n'a pas le même sens, selon qu'on souhaite inclure les femmes dans le système masculin en vigueur; ou selon qu'on souhaite que les femmes soient le ferment d'une véritable révolution culturelle, visant à redéfinir l'objet de la démarche collective en fonction des valeurs féminines:

de renverser la tendance qui met l'accent sur le travail et la conquête par l'expansion systématique,

au profit de valeurs tournées vers la véritable satisfaction de l'***être***.

Les femmes doivent donc réclamer autre chose que le droit de s'aligner sur les valeurs guerrières mâles.

Pour accomplir cette révolution, comme le suggère DALLAYRAC, les femmes doivent échapper aux manœuvres de récupération qui auraient pour effet de les faire pénétrer dans le système masculin, alors qu'il nous faut au contraire changer le système:

inventer un nouveau type de société qui mette l'accent non plus sur l'***hors-soi***, sur l'objet extérieur, la conquête et l'expansion, — le ***faire***;

mais sur l'***en-soi***, sur les valeurs qui gravitent autour de l'***être***.

Les femmes ne trouveraient peut-être pas l'audace de le faire pour elles-mêmes. Ni même peut-être pour leurs compagnons. Mais elles vont trouver en elles le courage, la force, l'imagination nécessaires pour créer une nouvelle civilisation, **pour leurs enfants. L'avenir est l'affaire des femmes, parce qu'elles l'interrogent par les yeux de leurs enfants.**

l'empathie

Il faut savoir que ce sont des femmes qui ont d'abord pris position contre l'esclavage des Noirs en Amérique.

C'est dans la nature du principe féminin.

de libérer

de mettre au monde

de donner naissance.

Au moment où la tâche consiste à inventer une nouvelle civilisation, rien de moins, et que doit naître en chacun de nous, l'homme nouveau,

je dis que c'est la femme qui va

le libérer

le mettre au monde

lui donner naissance.

la réceptivité

Le principe masculin est explosif; le principe féminin, implosif. Les femmes, quand le principe masculin ne les détruit pas, sont plus intégrantes: elles rassemblent ce qui est épars, pour former une unité.

Organiquement plus intériorisées, les femmes sont plus réceptives, plus maturantes.

«*Par l'amour*, écrit le poète Pierre EMMANUEL dans ***La vie terrestre***, *elles peuvent communiquer à l'homme leur réceptivité, leur féminité.*»

«***... elle doit devenir égale à elle-même!***»
André MOREAU

La découverte que la femme doit faire d'elle-même doit nécessairement passer par le **travail sur soi**.

Avant que d'entreprendre, de refaire le monde, la femme doit d'abord se refaire.

Avant que d'accoucher de l'homme nouveau, la femme doit d'abord accoucher d'elle-même.

« *Le seul critère que la femme possède pour se transformer, c'est elle-même. Elle n'a pas à chercher en l'homme un modèle pour se changer. Pourquoi la femme devrait-elle devenir l'égale de l'homme quand elle sait fort bien qu'elle doit devenir égale à elle-même.* »

André MOREAU, ***La mère érotique*** (Les Éditions Jovialistes).

Elle doit s'appartenir.

Elle doit se libérer de l'image de la femme que lui impose une société dominée par les valeurs masculines.

Elle doit surtout ne pas faire de l'homme le modèle de sa libération. C'est en elle-même qu'elle doit trouver (retrouver) son modèle.

Il s'agit d'abord d'une prise de conscience: qu'elle prenne conscience d'elle-même.

À commencer par tout ce qui la concerne:

tout d'abord son propre corps, (afin que cesse la relation fille-père des services gynécologiques),

et de sa propre psyché (pour la même raison — cette fois, des services psychiatriques),

et tout ce qui concerne la maison, les enfants et leur éducation;

que la femme puisse aussi parler son langage dans le monde de la religion: qu'elle puisse occuper les fonctions qu'elle souhaite;

de la justice — où la victime doit bien souvent s'expliquer dans un langage qui n'est pas le sien, mais celui de l'homme;

de la politique — où pratiquement tout ce qui la concerne est décidé en fonction de l'autre principe,

alors que c'est à elle seule qu'il revient de décider ce qui est bon pour elle.

Enfin, dans tous les domaines de l'activité humaine où l'accent doit être mis désormais sur le principe féminin.

Mais le tout premier lieu où l'accent doit être mis sur le principe féminin, c'est chez la femme elle-même. Ce qui est difficile dans une société qui impose un modèle masculin.

Ce qu'il y a de plus important pour la société humaine, c'est de se prolonger et de se renouveler à travers les enfants. C'est le fait de porter un enfant,

De le mettre au monde,

De le nourrir.

De l'éduquer.

Il n'y a rien de plus important.

Une société qui ne met pas ce processus au centre de ses préoccupations est appelée à disparaître.

Que l'on soit parvenu à considérer ce processus comme secondaire, est bien le signe de la fin du monde — de notre monde.

On peut espérer que si une nouvelle civilisation voit le jour, elle mettra un peu d'ordre dans ses idées et que la femme et, avec elle, le principe féminin, sera au centre de son fonctionnement.

Quant à savoir ce que sera cette société, je ne saurais le dire.

Il s'agit, en fait, chaque fois qu'une décision doit être prise, de **situer au centre la femme et ses enfants**, et du coup, tout s'éclaire.

Non pas le profit, non pas le progrès — au sens masculin et technologique du terme —, mais la femme et ses enfants. Et tout s'éclaire.

Le problème de la pollution, par exemple, s'éclaire:

on voit tout de suite qu'il devient prioritaire;

la question de l'énergie nucléaire s'éclaire:

on comprend qu'elle comporte encore trop de risques;

ou encore le partage des biens dans le cas du divorce ou de séparation s'éclaire:

on comprend que la maison, qui est le prolongement de la femme, doit nécessairement lui revenir...

Tout s'éclaire dès que la femme et ses enfants se trouvent au centre du débat.

(Faites l'expérience: prenez le journal et lisez les titres en ayant en tête la femme et ses enfants et voyez comme tout s'éclaire.)

Dans «***La Mère Érotique***», le philosophe québécois André MOREAU nous dit que «***la femme ne tardera pas à prendre conscience du quadruple rôle qu'elle joue dans le monde actuel***»:

Elle est tout d'abord la

révélatrice de l'homme — «***qui rend l'homme responsable en lui renvoyant une image de lui-même qu'il doit assumer***»;

elle est

éducatrice de l'humanité: «***La femme éduque la société. C'est elle qui, par ses soins et ses pressions constantes, fait bouger les choses***»;

elle est

inspiratrice: «***Jusqu'à maintenant, elle a ouvert les portes pour l'homme. Un jour, elle les ouvrira pour elle-même***»;

enfin, elle est

médiatrice: «***L'homme a cherché à tirer parti de l'intuition féminine sans rendre justice à la femme.***»

Notre civilisation est dominée par l'instinct de mort. Si nous voulons survivre, nous devons désormais mettre l'accent sur les valeurs féminines.

La femme participe profondément de l'instinct de vie : elle est du côté des enfants, de la nature, des autres, des animaux, des plantes et des choses...

Cette passion peut s'exprimer de diverses façons. Le plus souvent, elle trouve à s'exprimer dans la famille. Mais ce n'est pas le seul canal possible.

Nous devons nous ouvrir au principe féminin et lui permettre de s'exprimer à tous les niveaux, de s'infiltrer comme l'eau dans le tissu social, afin d'atteindre les individus en profondeur et de modifier les attitudes.

Afin d'inventer une civilisation qui mette l'accent sur l'instinct de vie.

Une société qui reconnaîtrait les valeurs féminines reposerait sur le principe de **communautés d'entraide**. Et non pas sur celui de la domination, de la compétition, de l'expansion.

L'entraide a joué un rôle déterminant dans l'évolution de notre espèce.

Autrement dit, les vertus sociales ont joué un rôle déterminant dans notre évolution : vertus de courage chez les hommes ; vertus de sollicitude et d'**empathie** chez les femmes

— c'est aussi ce qu'on appelait au moyen-âge ***la merci***, cette valeur essentiellement féminine, inscrite dans sa personnalité psychosexuelle qui fait que la femme ne peut voir une blessure sans la soigner, qu'elle ne peut écouter le récit d'une peine sans en éprouver elle-même de la souffrance...

Ces vertus sociales ne sont pas un luxe que s'offre l'espèce, une fois l'étape franchie. Elles sont au contraire essentielles pour la franchir.

Pour notre espèce, la **morale naturelle** est un facteur de survie et d'évolution.

Et plus particulièrement, l'attitude qui découle des valeurs féminines. Je me rends parfaitement compte de ce que je suis en train d'écrire: que *ce sont surtout les valeurs féminines qui permettent à notre espèce d'évoluer*. Selon Richard LEAKEY, un anthropologue de grande réputation, ce qui aurait entraîné l'éveil de la conscience à une étape de notre évolution, le facteur déterminant, aurait été la générosité: «***Non pas l'intelligence***, précise-t-il dans ***People of the Lake, mais d'abord la générosité. C'est-à-dire le partage. Non pas la chasse ou la cueillette, mais l'obligation de partager.***»

Nous sommes devenus humains, autrement dit notre conscience s'est éveillée, parce que nos ancêtres ont appris à partager leur nourriture et à échanger leurs services, constituant ainsi petit à petit, ce que LEAKEY appelle un véritable ***réseau d'obligations***.

L'espèce s'est donc éveillée à la conscience à un moment de son évolution où elle mettait l'accent sur les valeurs féminines, — en particulier, l'entraide.

De là à penser que pour franchir une nouvelle étape et passer du niveau de la conscience à celui d'une conscience plus élevée, d'une surconscience, d'une conscience cosmique.

nous devons revenir aux valeurs féminines, mettre l'accent sur le principe féminin, il n'y a qu'un pas.

Et quant à moi, je le franchis. Je crois que c'est le principe féminin, autrement dit la femme retrouvée, qui donnera naissance aux ***enfants de lumière***.

Je crois que la société doit se redéfinir comme autrefois autour de la mère.

Ce qu'il y a de plus important, c'est de survivre : de se prolonger dans l'avenir.

Ce qu'il y a de plus important, c'est de préserver l'environnement pour l'avenir et de préparer des successeurs.

Tel est le principe de la société.

L'enfant passe de l'enveloppe maternelle à l'enveloppe sociale.

Il faut donc que cette enveloppe sociale soit le prolongement de l'enveloppe maternelle.

Et c'est pour quoi je crois que la société doit se redéfinir autour de la mère.

Seules les mères savent ce qui est vraiment important dans la vie.

Et que les impératifs ne sont ni d'ordre économique, ni d'ordre technologique, mais découlent des lois de la nature.

Il n'y a d'impératif que la nature.

Les mères le savent.

Et je crois que nous devons, d'une certaine façon, revenir au culte de la Déesse-Mère.

Pour terminer ce chapitre et en manière d'épilogue, je veux donner la parole à une femme : Claudine BRELET.

Écrivain et journaliste, elle est rédactrice en chef de la revue *Vie naturelle*. Elle a traduit plusieurs livres du Dr GUIRDHAM dont *La réincarnation et les Cathares*. Elle a elle-même poursuivi des recherches en médecine parallèle et écrit trois ouvrages sur le sujet dont l'un a été couronné par l'Académie française, *Les médecines traditionnelles sacrées* (Retz).

En 1977, elle a participé au **Symposium sur les Recherches et les Expériences psychiques** qui s'est tenu à Shawinigan, sous la direction de Yolande GAGNON. À cette occasion, Claudine BRELET a prononcé une allocution sur *Le nouveau féminisme dans l'Ère du Verseau*, qui fit vibrer son auditoire.

J'en rapporte l'essentiel.

*Je crois que ce symposium * symbolise très bien cette nouvelle ère dans laquelle nous entrons actuellement et effectivement :*

les femmes qui jusqu'à présent ont fait des enfants de chair, de sang et d'os, commencent à pouvoir créer partout sur la planète des ***enfants de lumière****.*

Nous vivons dans une civilisation qui, depuis 2 000 ans à peu près, est marquée par ce qu'on appelle le ***machisme*** *qui est une sorte d'impérialisme basé sur la violence, la compétition, l'agressivité et l'accaparement des biens. Cet impérialisme nous est venu de Rome.*

C'est l'histoire de la colonisation de la femme et du domaine du sacré que la parapsychologie, par des voies scientifiques et même technologiques, est en train de pénétrer. La femme avait un rôle très important à jouer. Par exemple, dans la société celte, la femme avait les mêmes droits, tant au niveau économique, politique, social et surtout religieux.

Mais ce rôle a disparu, car Rome est apparu. Il est quand même resté des druidesses, des sorcières qui utilisaient la magie noire, des sages-femmes qui, dans le quotidien, essayaient de donner de l'amour et de travailler dans le sens de la vie.

Ces femmes ont été pourchassées, brûlées.

Ainsi, toutes les femmes qui tentaient de s'affirmer perturbaient l'ordre établi.

Ce que je ressens profondément par rapport au problème du féminisme :

à force de s'être battues avec des hommes, les femmes n'ont pas pris de recul suffisant pour s'apercevoir qu'elles se mettaient à ressembler à ce qu'elles détestaient le plus...

Voilà une très grave erreur.

* Il s'agit d'une allocution improvisée sans notes. Je tiens, en la transcrivant, à lui conserver la saveur de l'oral.

J'ai découvert qu'on ne répond pas à la répression par la répression, on ne répond pas à l'agressivité par l'agressivité, on ne répond pas à la violence par la violence.

Mais comment mener ce combat?

La société dans laquelle nous vivons présentement est très **yang**, *très dure, très agressive, très compétitive. (...) Les femmes qui se battent contre du* **yang** *deviennent elles-mêmes* **yang**.

Il faut retrouver le **yin**.

Il faut se changer intérieurement, essayer de découvrir qui nous sommes, de mieux nous comprendre nous-mêmes,

— puisque la première des choses qu'il faut supprimer dans un être humain, c'est la peur.

Si on arrive à supprimer la peur d'être une femme, de se donner complètement à la vie à tout instant avec beaucoup de tendresse et beaucoup de responsabilité, peut-être réussira-t-on à aider les hommes, qui devraient être nos meilleurs complices, à supprimer cette peur qu'ils ont en eux aussi.

Et peut-être arrivera-t-on à faire un grand travail sur la planète.

Parlant du cerveau:

L'hémisphère droit comprend: les qualités dites féminines et intuitives, la capacité de communication par-delà le langage, la capacité de faire le lien, la synthèse.

L'hémisphère gauche, lui, est ce sauvage impérialiste sous lequel on a vécu pendant 2 000 ans et qui est la partie analytique de l'être humain, en tant que mécanisme intellectuel.

C'est surtout cette partie analytique qu'on a développée.

Il faut donc retrouver la partie féminine qui existe dans tout être humain.

On doit commencer à comprendre vraiment ce qu'est la fusion, dans le vécu quotidien.

Par exemple, il existe un lien très fort entre la mère et son enfant.

Il faut essayer de recréer et de retrouver en nous le principe de fusion.

La femme a la chance de ne pas avoir perdu son conditionnement neurologique et biologique pour devenir ainsi plus consciente, intellectuellement et spirituellement, de sa responsabilité de gardienne de la survie de l'espèce.

Il lui faut être consciente, dans son cœur et dans son âme.

Grâce à son travail personnel, individuel, quotidien, la femme va arriver à faire quelque chose.

Si chaque femme se bat pour la sauvegarde de l'environnement, pour protéger la vie, pour essayer vraiment de redonner à la vie sa qualité, on aura fait un très grand travail.

Si chaque femme essayait de retrouver le sens sacré de la vie, elle pourrait devenir une espèce de ***prêtresse de l'écologie****.*

*Je considère que l'****écologie*** *est certainement la science du Verseau.*

Qu'est-ce que l'écologie ?

C'est l'art et la manière de savoir ***relier*** *différents états, différentes catégories de corps vivants entre eux.*

C'est la connaissance de la planète.

Notre travail consiste donc à supprimer la peur d'être femme — qui est la porteuse de la vie ;

à essayer d'amener les hommes à prendre conscience de la douceur et de la tendresse qui peuvent exister dans la vie de tous les jours ;

à dire non, nous refusons telle ou telle chose parce que ça ne va pas dans le sens de la vie.

Il faut travailler dans la fusion et l'amour.

La capacité de fusion et de communication est essentielle à notre époque.

Grâce à la parapsychologie, on s'aperçoit que tout est lié dans l'univers.

On peut agir, par exemple, sur la vie d'une plante comme sur celle d'un enfant.

Tout ce qu'on fait pousser avec amour pousse beaucoup mieux.

Ce qui prouve que la pensée est agissante.

Elle devait terminer cette allocution improvisée avec deux citations :

« *Le travail, c'est l'amour rendu visible.* »
Khalil GIBRAN

« *Quand les Occidentaux à nouveau pourront chanter et danser à la gloire de Dieu, la terre sera sauvée.* »
Mikhael AIVANHOV

« Les femmes qui jusqu'à présent ont fait des enfants de chair, de sang et d'os, commencent à pouvoir créer partout sur la planète des enfants de lumière. »

Claudine BRELET

la Nature

La Terre-Mère doit s'entendre aussi au sens de la Nature.

Par quelle aberration l'homme en est-il venu à s'abstraire de la Nature, à se percevoir et à se considérer comme en dehors d'Elle ?

On en vient à parler de la Nature comme si on pouvait survivre en dehors d'Elle.

Des gens en place débattent des questions écologiques comme si c'était un luxe qu'on s'offrait, — comme si on pouvait ne pas en débattre.

Comme si la pollution de l'eau et de l'air, l'appauvrissement des sols entraîné par la monoculture, le déboisement irréfléchi ;

comme aussi bien la disparition, chaque année, de nombreuses espèces végétales et animales ;

— comme si l'homme pouvait survivre au désordre qu'il crée.

Tout se passe comme si l'homme avait déclaré la guerre à la Nature.

Alors que nous sommes en Elle.

Nous sommes les enfants de la Terre-Mère.

Et nous ne pouvons survivre qu'en Elle.

4

quatre

c'est le Nombre

de la **TERRE DES HOMMES**

et de la **TERRE-MÈRE DES HOMMES**

Quatre est un nombre pair, donc féminin.

C'est l'ordre quaternaire de la Nature:

Dans le temps — les quatre saisons;

dans l'espace — les quatre directions.

On parle des quatre vents, des quatre chemins...

les éléments

C'est aussi le nombre de la manifestation de la matière et de sa transformation par les quatre éléments :

l'eau, le feu, la terre et l'air. (Il y en a un cinquième : l'Éther, mais il est d'un niveau plus subtil.)

Deux des éléments participent du principe féminin :

l'eau et la terre ;

les deux autres, du principe masculine :

l'air et le feu.

> Pour les Anciens, les **éléments** déterminent l'essence des forces de la Nature qui réalise son œuvre de génération et de destruction au moyen de ces principes vitaux.
>
> C'est ainsi que les divers phénomènes de la vie peuvent se ramener aux manifestations des éléments et à leurs transformations les uns par les autres.
>
> Le Dr Carl JUNG, un des pères de la psychologie moderne, reprend la distinction traditionnelle entre les éléments féminins et les éléments masculins. Les diverses combinaisons de ces éléments et de leurs rapports symbolisent la complexité et la diversité infinie des êtres comme du reste, de la manifestation en général.
>
> PLATON, dans le ***Timée***, rattache la théorie des Éléments à celle des Idées et des Nombres qui sont comme les archétypes, comme les modèles à partir desquels se manifestent et se transforment les êtres aussi bien que les événements.
>
> La Terre-Mère agit à travers les quatre forces primordiales qui ont permis d'ordonner le Chaos :
>
> le chaud-sec
> le froid-humide
> le doux-humide
> le froid-sec.

L'Eau et la Terre sont à l'origine des choses. (Dans ce sens, on parle plutôt des Eaux).

Les Eaux précèdent l'organisation du Cosmos alors que la Terre produit les formes vivantes.

Les Eaux représentent la masse de l'indifférencié, la Terre les germes des différences.

Dans l'évolution générale du Cosmos, les cycles aquatiques s'étendent sur des périodes plus longues que les cycles telluriques.

l'eau

« Rien ici-bas n'est plus souple, moins résistant que l'eau, pourtant il n'est rien qui vienne mieux à bout du dur et du fort. »

LAO-TSE

« Il est impossible de considérer l'homme détaché de sa planète. Nous vivons en symbiose avec la Terre. Qui est la planète de l'eau. L'homme est lui-même en grande partie constitué d'eau. Ce que l'eau véhicule sur la planète, l'homme finit par en être lui-même le véhicule. L'état de l'eau devient l'état de l'homme. »

Commandant COUSTEAU

Élément créateur et conservateur de vie; l'eau est la source informelle de la vie : la source de fécondation de la terre et de ses habitants. Elle est aussi le véhicule de toute vie.

Élément de la naissance et de la renaissance, physique et spirituelle, elle purifie, guérit, rajeunit : l'eau du baptême, des ablutions, des sources miraculeuses...

Elle est force vitale, sacrée et sacralisante. Symbole des énergies inconscientes, elle est associée aux ténèbres : elle représente les puissances informes de l'âme, les motivations obscures.

NOVALIS écrit :
« *... toutes nos sensations agréables ne sont à la fin, que diverses manières d'écoulement en nous des mouvements de cette eau originelle qui est en nous. Le sommeil lui-même n'est rien autre que le flux de cette invisible mer universelle et le réveil le commencement de son reflux.* »

Et le poète de conclure :
« *... les poètes seuls devraient s'occuper des liquides.*

Ce qu'il y a de plus profond dans l'homme participe de l'eau. C'est là que puisent nos racines. Dans le ventre de la mère, le petit baigne dans le liquide amniotique. Tout ce qui évoque la sécurité, la nourriture, la chaleur, se trouve lié à cet élément féminin.

« On commence à mesurer aujourd'hui les conséquences catastrophiques de la pollution des eaux. L'eau est le véhicule par excellence de la vie; sa pollution menace donc tous les aspects de la vie animale. »

Edouard BONNEFOUS, ***L'homme ou la nature ?*** (J'ai lu).

La Conférence des Nations-Unies sur l'Eau, qui s'est tenue en Argentine en 1977, a recommandé que la décennie 1980-1990 soit proclamée officiellement ***Décennie internationale de l'eau potable et de l'assainissement***, afin de relever le défi auquel l'humanité devra éventuellement faire face puisque, si nous poursuivons dans le sens où nous sommes engagés, dès le début du siècle prochain les ressources d'eau des régions habitées du globe seront presque épuisées.

water

=

mater

la Terre

tellus mater:

La terre* symbolise la fonction maternelle. Elle donne la vie qu'elle reprendra un jour. Elle est le giron maternel. Se prosternant sur le sol, JOB s'écrie:

> «***Nu je suis sorti du sein maternel; nu j'y retournerai.***» (1, 21)

Assimilée à la mère, la terre est un symbole de fécondité et de regénération. La glèbe et la femme sont souvent assimilées: sillons ensemencés, labour et pénétration sexuelle, accouchement et moissons, travail agricole et acte générateur, cueillette des fruits et allaitement, soc de la charrue et phallus de l'homme.

Dans l'***Odyssée***, c'est dans un sillon ensemencé qu'au printemps JASON s'unit à DEMÈTER.

* Dans la symbolique universelle, il est difficile de dissocier l'élément terre de la Terre elle-même en tant que planète. Les deux se confondent.

Dans les mythes et les légendes, la Terre est généralement opposée au Ciel.

Qui représentent les deux principes: féminin et masculin.

Qui sont à la fois opposés et complémentaires.

Ils se manifestent simultanément et se transforment l'un en l'autre.

Mais dans plusieurs traditions, on trouve que le principe femelle a été le premier à se manifester donnant naissance à l'autre.

Entre autres, chez les Mayas et chez les Grecs.

C'est ainsi que la vieille déesse Maya, luni-terrestre, a une fonction primordiale:

elle est la maîtresse du nombre UN.

C'est-à-dire que la Terre-Mère, a été avant toutes choses, au début même de la manifestation.

« ***Elle enfante tous les êtres, les nourrit, puis en reçoit à nouveau le germe fécond.*** »

ESCHYLE, ***Les Choéphores.***

C'est-à-dire que la Terre-Mère a d'abord enfanté le Ciel qui devait ensuite la couvrir pour donner naissance à tous les dieux.

Ces dieux imitèrent cette première union, puis les hommes, les animaux... La Terre-Mère se révélant à l'origine de toute vie, on lui donna le nom de ***GRANDE MÈRE.***

Cette antériorité du principe féminin témoigne sans doute de l'existence d'une religion primordiale qui mettait l'accent sur le principe féminin.

Dans les temps les plus reculés, le rôle du mâle dans la reproduction n'était pas reconnu. L'acte sexuel n'était pas perçu comme la cause directe de la reproduction, mais plutôt, par analogie, comme la cause magique : l'acte lui-même était considéré (il l'est toujours par certains primitifs) comme le rituel qui déclenche le processus de la vie. Mais seule la mère était considérée comme l'agent exclusif de la reproduction. D'où l'importance accordée à tout ce qui procède du principe féminin — qui donne la vie et qui nourrit.

Une autre explication à cette antériorité supposerait que les hommes savaient que toute forme de vie est d'abord féminine, pour ensuite, à une étape ultérieure de son évolution, comme c'est le cas pour l'embryon humain, opter pour l'un ou l'autre sexe.

Mais comment auraient-ils pu le savoir ?

Scientifiquement ou, ce qui est plus probable, intuitivement.

Il y a des façons de savoir, dont nous avons perdu le secret, pour avoir trop développé un hémisphère du cerveau au détriment de l'autre : l'hémisphère gauche qui est celui du raisonnement et de la pensée linéaire, autrement dit, l'hémisphère masculin. Et c'est bien le sens de la démarche qui s'impose à l'homme du Verseau : retrouver le secret de l'autre hémisphère, celui de la pensée globale, analogique, autrement dit de l'intuition — qui, effectivement, est féminine.

la Lune

Sauf exception, la symbolique considère le satellite de la terre comme féminin. Et dans la plupart des traditions, il existe un lien très étroit entre la Terre et la Lune.

Elle symbolise le **temps** qui passe, dont elle est l'instrument de mesure universelle.

La Lune régente les cycles hebdomadaires et mensuels.

Elle préside à la fertilité/fécondité: celle de la végétation, des animaux, des hommes.

C'est du reste, un fait qu'il est possible d'observer: il règne dans les cliniques de maternité une grande activité au moment de la pleine Lune.

La Lune est assimilée aux Eaux primordiales dont procède la manifestation.

La Lune, qui traverse des phases et change de forme, symbolise la **périodicité** et le **renouvellement**.

Elle est le symbole même de la **transformation** : de la croissance et de la décroissance, de la naissance à la mort... puis à la résurrection.

La Lune est donc un symbole de la mort, mais aussi de la ***vie après la mort***.

Pendant trois nuits, chaque mois lunaire, elle est comme morte, elle a disparu. Il faut peut-être voir ici l'origine de la coutume dans certaines traditions, dont la nôtre, de veiller les morts, pendant trois jours avant de procéder aux obsèques.*

Puis la Lune reparaît et recommence le cycle. C'est pour quoi elle est souvent considérée comme le symbole de ce passage de la vie à la mort et de la mort à la vie, car sa mort n'est jamais définitive: elle est soumise à la loi universelle du devenir cyclique. Les formes achevées se dissolvent en Elle; les formes non développées en émanent.

C'est ainsi qu'elle est associée à ***la danse de SHIVA*** — le ***transformateur*** — et dont l'emblème est un croissant de lune.

* Il y a aussi à cela d'autres raisons sur lesquelles je reviendrai dans un prochain livre : ***La Mort est une transition***.

les Saisons

Pour l'homme traditionnel, le temps était cyclique :

l'année apparaissait comme un cercle dont il fallait faire le tour ***religieusement***, au sens de ***religare : relier***.

Dans le présent contexte, ***religieusement*** signifie : avec un désir de participation de plus en plus consciente.

Le cycle annuel comportait, comporte toujours d'ailleurs, quatre points de repère : quatre fêtes au début des saisons.

La Fête est un temps d'arrêt : un temps de réjouissance et de réflexion.

L'année est un cycle que symbolise le cercle dont les 360 degrés correspondent aux 360 et quelques jours du cycle annuel.

Les Anciens vivaient en harmonie avec le temps cyclique.

L'ordre du **quaternaire** préside aussi à l'année qui compte quatre saisons.

Chaque saison a sa personnalité, son caractère, sa fonction.

Être aliéné, c'est aussi être coupé du temps, ne pas vivre les saisons, car les racines de l'homme s'enfoncent aussi dans le temps.

L'année comporte **deux pôles**:

le jour le plus court, qui est celui du **solstice d'hiver**, le 22 décembre — époque des Saturnales, qui sont devenues le **temps des Fêtes**;

et le jour le plus long, qui est celui du **solstice d'été**, le 22 juin — époque des grandes Fêtes solaires qui sont devenues la St-Jean d'été et, pour nous, Québécois, la fête Nationale, le 24.

Ces deux pôles de l'année participent du principe solaire, et marquent le début des deux saisons masculines.

Les saisons, comme les éléments et analogiquement les points cardinaux, se divisent en ***saisons masculines***: l'été et l'hiver; et ***saisons féminines***: le printemps et l'automne.

Les deux autres moments importants de l'année, avec les pôles — du jour le plus court et du jour le plus long —, sont donc les ***équinoxes***:

les deux moments de l'année où le jour et la nuit sont d'égale durée, qui marquent le début du printemps et le début de l'automne.

Les fêtes féminines de l'année correspondent à la double fonction fondamentale du principe féminin:

donner naissance, au printemps — **Pâques,**

nourrir, à l'automne — **l'Action de Grâces**.

donner naissance

L'œuf de Pâques est le symbole de la rénovation périodique de la nature.

L'œuf contient le germe à partir duquel va se développer la manifestation.

Dans plusieurs traditions, la naissance du monde s'est faite à partir d'un œuf.

Tel est l'œuf de l'Unité qui contient la multiplicité des êtres.

Il en va de même du cycle annuel de la nature, qui commence avec la naissance.

Le retour cyclique de l'œuf, suivi de la naissance, puis de la mort,

s'inscrit dans une vaste mécanique

qu'on appelle en sanscrit le ***dharma***

l'ensemble des lois qui font que çà se passe ainsi :

que la naissance est dans la mort et la mort dans la naissance.

Il y a là un processus dont la continuité nous échappe

la vie humaine est trop courte pour que nous puissions vraiment comprendre le mécanisme qui en fait, nous *comprend*.

Étroitement associé à la Déesse, le Taureau en est le principe fécondant. Les divinités lunaires méditerranéo-orientales étaient souvent représentées sous la forme d'un taureau et investies des attributs taurins de puissance et de virilité féconde.

L'association entre la Déesse et le Taureau s'expliquerait surtout par le fait que le culte de la Déesse aurait été particulièrement florissant à l'Ère du Taureau — qui fut suivie de l'Ère du Bélier, puis de l'Ère des Poissons et, enfin, de celle dans laquelle nous venons d'entrer: l'Ère du Verseau. Comme ces ères durent un peu plus de 2000 ans, l'association de la Déesse et du Taureau remonterait donc à une période qui se serait étendue entre quelque 6500 et 4500 ans environ avant l'Ère du Verseau.

le microcosme

> « *Tous les signes auxquels obéissent les esprits se ramènent à ces deux : macrocosme de la Matière (Natura-Naturata) ou sceau de Salomon, l'hexagramme, et le signe le plus puissant de tous celui du microcosme ou pentagramme.* »
>
> PARACELSE

Cinq est le nombre de la nature en gestation, qui est en train de se faire; autrement dit, de la construction entreprise de l'intérieur : le système pentagonale et ses pulsations asymétriques dans les proportions de la vie et des tracés eurythmiques, procède toujours de l'intérieur vers l'extérieur. « *Tout spécialement*, nous dit Matila GHYKA dans ***Le Nombre d'or,*** *dans les plantes, les organismes marins et le corps humain* ». *(...)* « *Le phénomène, cause de l'asymétrie, est ici la croissance des êtres vivants, croissance qui agit du dedans au dehors, comme par "imbibition", gonflement, non par "agglutination", comme dans les cristaux...* »

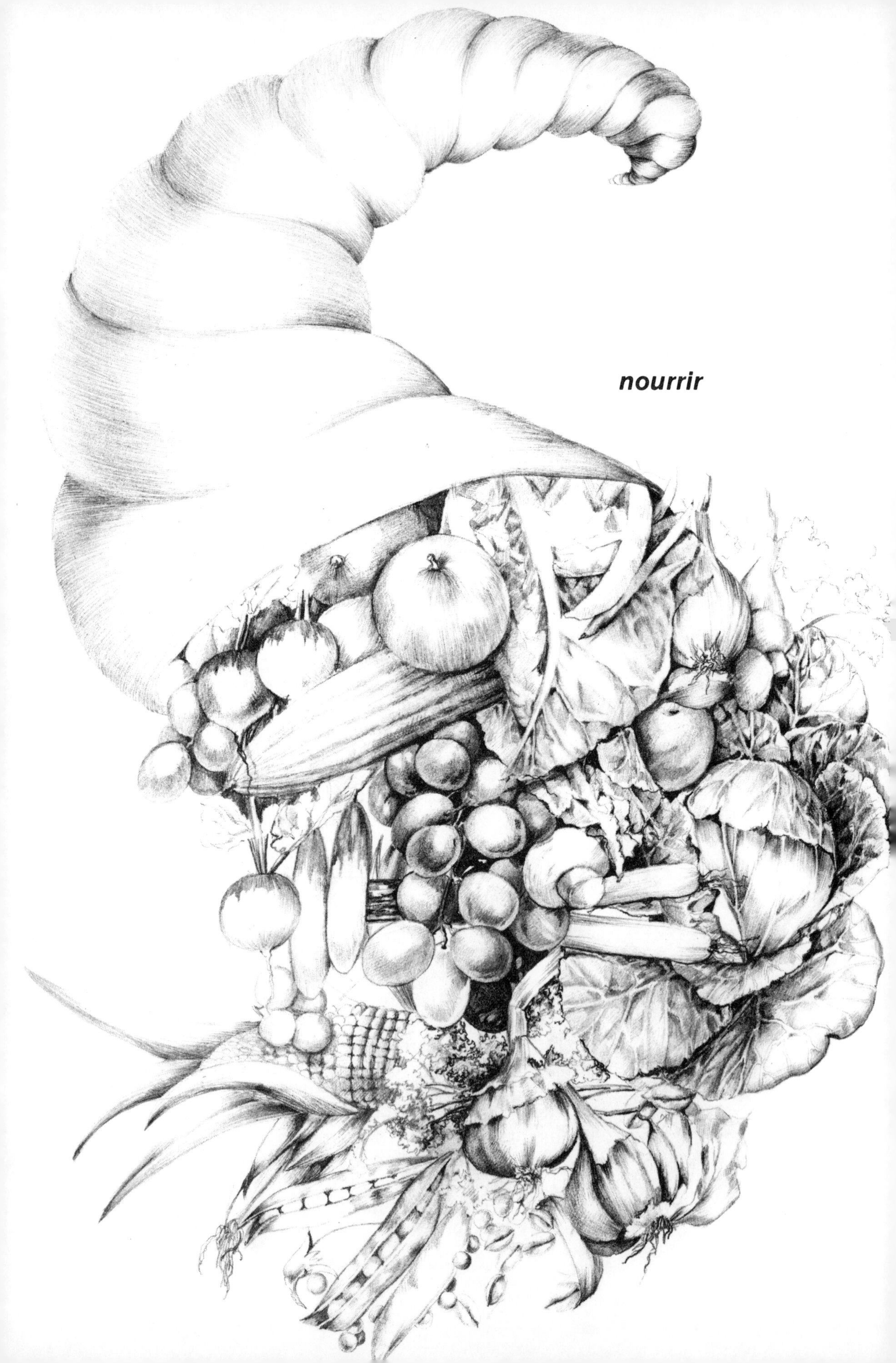

nourrir

La fête de l'Action de Grâces remonte à la nuit des temps.

C'était la fête de la Terre-Mère: féconde, abondante, généreuse, — la fête de l'automne.

À l'époque de l'Action de Grâces, on a recueilli, récolté, engrangé les fruits de la Terre. C'est le moment de remercier la Mère.

Il existe trois grands aliments de base qui se partagent pour ainsi dire le monde :

le blé — Europe, Afrique, bassin de la Méditerranée ;

le riz — Asie ;

le maïs — Amérique.

Dans presque toutes les traditions, c'est une déesse qui a donné l'aliment de base aux hommes.

Dans la tradition hellène, par exemple, c'est CERES, déesse de l'agriculture, qui donna le blé aux hommes.

L'épi de blé est aussi l'attribut de la déesse de l'Abondance et de la Charité, qui distribue à profusion les épis et toutes les nourritures qu'ils symbolisent.

Il est intéressant de noter en passant que, pour les Anciens, l'Abondance et la Charité sont liées.

L'épi est aussi un symbole de croissance et de fertilité : à la fois nourriture et semence.

Il indique l'arrivée à la maturité, tant dans la vie végétale et animale que dans le développement psychique : c'est l'épanouissement de toutes les possibilités de l'être.

C'est aussi l'automne de la vie.

Dans la grande tradition amérindienne, l'épi de maïs représente le pouvoir surnaturel qui habite la Terre-Mère d'où provient la nourriture nécessaire à la vie.

L'épi — de blé dans les mystères d'Eleusis, de maïs dans les mystères amérindiens — est le fils de l'union de la Terre avec le Ciel.

L'épi est donc la résolution de la dualité fondamentale — symbole de la synthèse.

C'est aussi le symbole du cycle naturel des morts et des renaissances.

L'épi contient le grain qui meurt, soit pour nourrir, soit pour germer.

La symbolique qui se dégage de l'observation de la Nature, révèle, en même temps qu'elle l'occulte, l'enseignement des plus hauts degrés de la Pensée traditionnelle.

Chez les Sumériens,
la vigne était consacrée
aux Grandes Déesses:

arbre sacré, sinon divin;
et le vin lui-même
une boisson des dieux.

Le vin est symbole
de vie cachée,
de lumière et de sagesse,

image de la connaissance.

À l'automne, la végétation meurt en beauté en même temps qu'en générosité, dans une dernière montée d'énergie avant le repos hivernal.

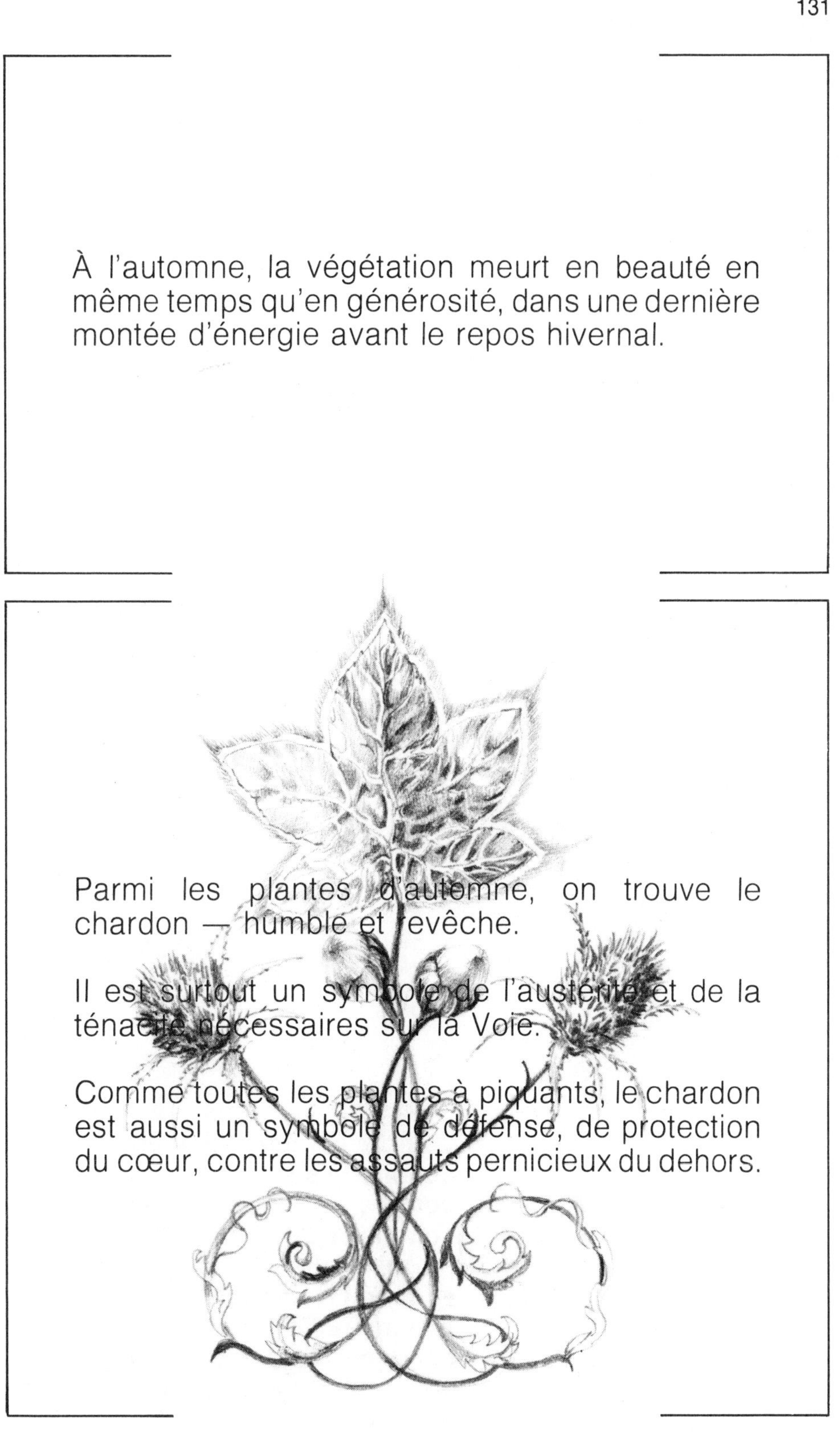

Parmi les plantes d'automne, on trouve le chardon — humble et revêche.

Il est surtout un symbole de l'austérité et de la ténacité nécessaires sur la Voie.

Comme toutes les plantes à piquants, le chardon est aussi un symbole de défense, de protection du cœur, contre les assauts pernicieux du dehors.

La noix contient l'amande
comme le secret
comme l'énergie dans la Matière
comme le divin dans l'Homme
— qui le cherche en dehors de lui
comme l'Homme Nouveau
comme la Civilisation nouvelle
comme Renaître dans Mourir
comme l'Éternité est dans le Temps
comme le SOI.

La Fête de l'Action de Grâces,

de la Terre-Mère, féconde, abondante, généreuse,

devrait aujourd'hui être l'occasion de réfléchir sur la situation qui règne sur notre planète.

C'est la Fête de la conscience planétaire — qui naît dans la douleur.

Et de nous interroger sur la nécessité d'apprendre à vivre fraternellement sur cette planète,

car nous sommes tous les enfants de la même Terre.

De la même Mère.

Ce sont ces considérations, entre autres, qui m'ont fait accepter de devenir pour un an le porte-parole d'OXFAM-QUÉBEC.

Afin d'accélérer le processus de cette prise de conscience chez moi.

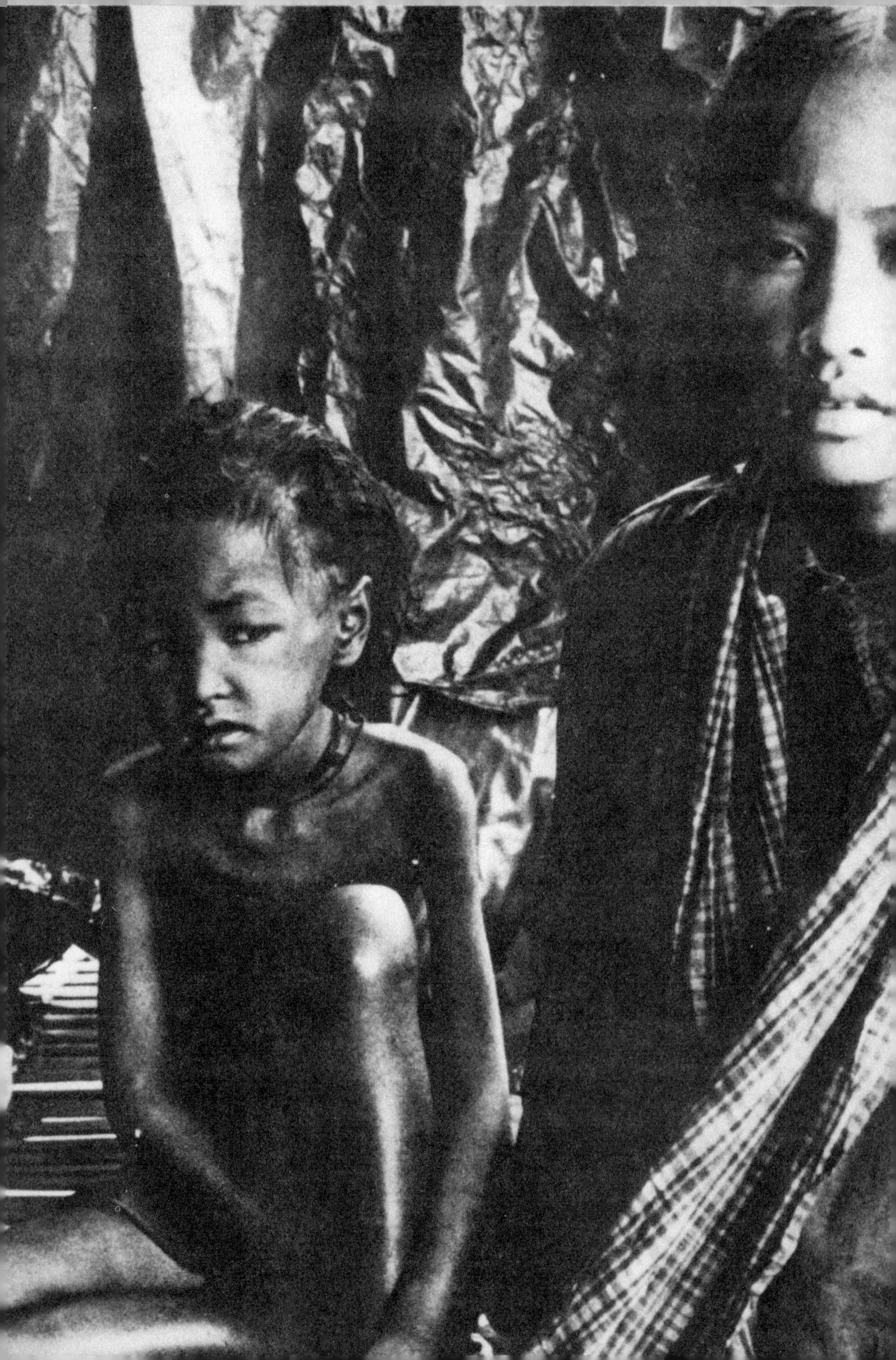

Je considère comme un privilège l'invitation qui m'a été faite de servir les objectifs d'OXFAM.

La situation dans le monde est la suivante:

elle est plus mauvaise qu'elle n'était et elle le devient encore un peu plus chaque jour.

L'écart est de plus en plus grand entre cette partie du monde, qui est la nôtre, et ***l'autre qu'on regarde mourir de faim à la télévision****.*

Il faut agir.

Parmi les organismes qui nous permettent d'intervenir, j'ai toujours eu une préférence pour OXFAM.

OXFAM, tel que je comprends cet organisme, poursuit un double objectif:

dans cette partie du monde qui est la nôtre, l'objectif est d'éduquer;

dans l'autre — qu'on regarde mourir de faim à la télévision — il est d'aider ces gens à s'aider.

Nous sommes devenus humains parce que nos ancêtres ont appris à ***partager*** *leur nourriture et à* ***échanger*** *leurs services, constituant ainsi, petit à petit, un véritable* ***réseau d'obligations****.*

La découverte récente de ce que nous appelons le Tiers-Monde aura transformé en profondeur notre façon de penser:

Nous sommes à l'étape de la convergence où les races, les peuples et les nations se consolident et s'achèvent par inter-action.

Nous participons à la naissance de la conscience planétaire.

J.L.

le carré...

«La signification du carré se rapporte aussi aux quatre fonctions psychologiques et d'une façon générale, c'est naturellement un symbole d'unité, d'intégralité.

«Le concept de quadrature indique souvent la force féminine inconsciente de l'homme sous forme, par exemple, d'une ville rectangulaire, de fondations de maisons ou de planchers de chambre dont le plan est à angle droit.»

Ernest AEPPLI, ***Les Rêves***.

Toutes les figures géométriques quadrilatérales correspondent à **quatre**. Mais, essentiellement, le carré.

Cette figure appartient à la triade des premiers symboles sacrés qui sont le cercle, le triangle équilatéral et le carré.

En quelques mots, le **cercle** symbolise le Tout; le **triangle**, l'Esprit qui transcende; et le **carré**, la Matière. La démarche ésotérique peut se définir à l'aide de ces trois symboles: transcender la Matière pour atteindre à la conscience cosmique du Tout.

« Fais de l'homme et de la femme un cercle rond, et extrais-en un carré, et du carré un triangle. Fais un cercle rond et tu auras la pierre philosophale. »

Rosarium

On reconnaît dans ces symboles le processus de l'**involution** :

la conscience cosmique représentée par le cercle extérieur s'incarne dans la Matière, qui est le carré ;

et le processus de l'**évolution** :

la conscience incarnée transcende la Matière en progressant sur la Voie, qui est le triangle, afin de revenir à la conscience d'origine — le cercle intérieur.

le *dragon* de la pollution et de l'aliénation

« ***La Terre est malade de l'homme.*** »

François de CLOSETS,
En danger de progrès
(Médiations).

l'instinct de mort de l'homme...

L'homme étend sa puissance aux dépens de la Terre, de ses sols, de ses eaux, de son air.

La Terre-Mère va finir par refuser de nourrir une espèce aussi mal inscrite dans l'**éco-système**, qui l'exploite et l'empoisonne. La **pollution**, c'est non seulement ce qui salit, mais aussi ce qui est **impropre** aux êtres, aux choses, aux processus biologiques: «***Tout ce qui fausse l'équilibre écologique***, écrit Denis de ROUGEMONT, ***ou bloque un cycle naturel ou au contraire l'ouvre indûment.***»

On parle d'impératifs techniques, d'impératifs économiques, mais il n'y a, somme toute, d'impératifs que la Nature.

L'avenir humain est notre affaire. Non pas que nous soyons libres de faire à notre guise n'importe quoi, car l'humanité devra toujours évoluer à l'intérieur de l'éco-système; nous devrons aussi tenir compte dans nos choix de contraintes et de dommages déjà causés.

Denis de ROUGEMONT mentionne, entre autres, le vieillissement de la population, les surfaces prises à l'agriculture par les villes et les autoroutes: le bétonnage universel, sans qu'on s'en rende bien compte, détruit l'humus pour des siècles; la production de plastique industriel non recyclable et de plutonium qui demeure radioactif pendant quelque vingt-cinq mille ans; les villes en croissance de type cancéreux; les rendements décroissants dans l'industrie et dans les techniques de pointe; l'épuisement calculable des ressources matérielles comme le pétrole, le cuivre et l'eau potable; la destruction de centaines d'espèces animales, l'asphyxie lente des océans...

«***Mais ces contraintes et ces atteintes, sans exception***, écrit Denis de ROUGEMONT, ***sont notre fait. Elles résultent toutes de nos choix, de nos décisions ou de nos passivités devant la décision d'autrui. Et non pas de besoins fondamentaux, inhérents à notre nature.***»

Il n'y a aucun doute que nous traversons une crise planétaire.

Pour la première fois, la survie de l'humanité est menacée.

L'homme arrive à un tournant où il doit faire un choix.

Pour la première fois, la **responsabilité du choix** lui revient. Pour la première fois, **l'homme est contraint de choisir librement son avenir et celui de l'espèce**.

Il s'agit de **survivre**, bien sûr, mais il s'agit aussi de ***vivre...***

C'est-à-dire que ce choix, nous devons aussi le faire en fonction de valeurs bien définies.

Le temps est venu de nous demander dans quel genre de société nous voulons vivre.

Si nous ne choisissons pas notre avenir maintenant, il n'y aura sans doute plus d'avenir humain sur cette planète.

«Dans les années 50 de ce siècle, l'humanité est devenue capable de tuer la Nature et de se suicider. Nous voilà condamnés au choix d'une politique, qui est en fait un choix métaphysique entre l'instinct de vie et l'instinct de mort...»

Denis de ROUGEMONT, ***L'avenir est notre affaire*** (Stock).

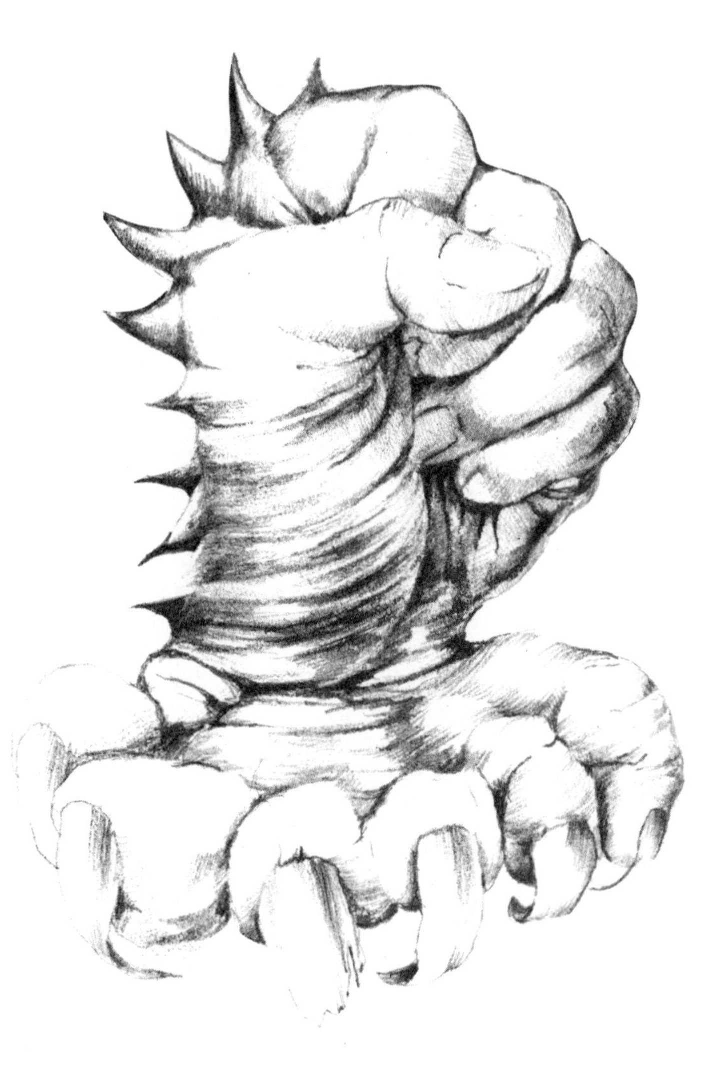

Depuis un peu plus de cinquante ans, plus précisément depuis 1920, 30 espèces animales sont disparues du fait de l'homme — comme c'est le cas de presque toutes les espèces disparues depuis trois siècles.

Et un très grand nombre d'espèces sont menacées d'extinction ; c'est ainsi qu'il ne reste plus environ que

750 poules des prairies,
200 lions d'Asie,
200 bouquetins d'Abyssinie,
une centaine de panthères des neiges,
une cinquantaine de rhinocéros des Sonde...

Entendez-vous le chant de détresse des baleines ?

après nous, le désert...

La Nature, il faut s'en rendre compte, est peu faite pour accueillir le progrès technique.

La biosphère, l'ensemble du monde vivant et de son environnement, forme une unité quasi organique : tous les êtres, tous les phénomènes sont reliés entre eux.

Dans la mécanique planétaire, la matière est éternellement recyclable. Du minéral au végétal, à l'animal, pour revenir au minéral. Tout est lié.

Mais dans cet organisme, **un organe est devenu malade : l'homme**. Et le foyer d'infection risque de contaminer toute la biosphère.

Dans la Nature, tout est déterminé.

Tout obéit au déterminisme, sauf une espèce qui est parvenue à un stade de son évolution qui lui permet de ne plus jouer le jeu — l'homme.

Mais cela comporte des risques. Celui d'être éliminé du jeu, tout simplement. Ou encore, d'entraîner l'anéantissement du jeu lui-même.

« ***Les microbes ne peuvent plus éliminer les produits chimiques que l'homme répand à profusion,*** écrit François de CLOSETS***, les plantes ne peuvent plus fixer le gaz carbonique que rejettent les cheminées, les espèces animales ne peuvent plus lutter contre les nouvelles armes qu'il a mises au point...*** »

Autrement dit, l'homme moderne, avec ses techniques et ses besoins, perturbe l'équilibre de l'éco-système.

Le moment est venu pour lui de prendre conscience des règles du jeu et de s'imposer de les respecter — sous peine de mettre fin à son évolution ;

le moment est venu de redéfinir sa démarche, afin qu'il s'insère à nouveau dans le grand organisme de la Terre-Mère.

«*La Terre sera-t-elle encore habitable dans un siècle?*, demande François de CLOSETS. *Le milieu naturel se dégrade inexorablement. Çà et là, se produisent des catastrophes. Il n'y a pas lieu de s'alarmer pour les dix années à venir. Le pronostic est beaucoup plus réservé pour la fin du siècle. Au-delà, c'est l'inconnu, l'imprévisible. Après nous, le désert.*»

« Pour moi, la grande tragédie d'une ville comme New York, ce n'est pas la pollution, ce n'est pas la violence, c'est la saleté: ces poubelles, ces tas d'immondices, ce désordre, les enfants qui voient cela tous les jours ne le remarquent plus, l'acceptent comme une situation naturelle. Or, s'habituer à la pollution visuelle, au désordre, au laisser-aller, c'est mentalement très grave. Le grand drame de la pollution, ce n'est pas qu'on en souffre, c'est qu'elle rend tolérant. Ce n'est pas qu'elle tue, c'est qu'on s'y habitue. »

Professeur René DUBOS ***Chercher***, (Stock).

le déclin de la qualité de vie

Malgré de nouvelles lois qui visent à la protection de l'environnement et des milliards de dollars dépensés à cette fin en Amérique du Nord au cours de la dernière décennie, la qualité de notre environnement a continué de décroître rapidement.

Il n'y a qu'à regarder autour de nous.

Mais pour avoir une vue d'ensemble, on peut recourir à la grille d'évaluation de la National Wildlife Federation (U.S.), considérée comme la plus importante organisation à veiller à la protection de l'environnement dans le monde.

La NWF procède chaque année à une évaluation de la situation dans sept secteurs:

l'air, l'eau, le sol, la vie sauvage, les minéraux, les forêts et l'espace vital.

La grille de la NWF estime la situation optimale à 100 points pour chacun des secteurs, soit un total de 700.

En 1969, elle accordait pour l'ensemble des secteurs un total de 395 points;

en 1979, 340 points seulement — la situation accusant, selon les critères d'évaluation de la NWF, une baisse de 14% au cours des dix dernières années.

L'air a été le seul secteur pour lequel on a enregistré un progrès — modeste, il est vrai —, l'évaluation étant passée de 35 à 36.

Le plus fort déclin a été enregistré dans le domaine des minéraux: l'exploitation de ces ressources ayant augmenté considérablement, ce qui entraîne un appauvrissement dans le domaine des matières premières non renouvelables.

L'évaluation est passée en dix ans de 50 à 37.

L'espace vital a aussi enregistré une baisse considérable : de 60 à 46, ce qui est dû en grande partie à la croissance souvent mal planifiée des banlieues au détriment des espaces consacrés jusque là à l'agriculture et à la récréation.

On évalue à plusieurs milliards de dollars chaque année l'appauvrissement des sols du continent nord-américain causé par l'érosion.

L'évaluation est passée, dans ce domaine, de 80 à 70.

Pour ce qui est de l'eau, le nombre de villes et de villages qui déversent leurs eaux dans les rivières, n'ont que peu diminué au cours de la décennie, alors que la population a augmenté. On estime la perte de qualité, dans ce secteur, à 7 points, soit une évaluation qui est passée de 40 à 33.

Quant à la vie sauvage, deux menaces pèsent sur elle : la croissance de l'industrialisation et l'usage de plus en plus répandu de produits toxiques.

Dans ce secteur, l'évaluation est passée de 55 à 43.

La NWF estime que les gouvernements ne doivent pas hésiter à recourir à des lois sévères. Le déclin de la qualité de la vie au cours de la dernière décennie est considérable. Ce déclin se traduit, entre autres, par une augmentation des coûts de la santé.

Il faut agir maintenant.

SKRÁAK..

la haine de la Vie

Il n'y a pas si longtemps on pouvait se rendre dans un lieu très agréable, à dix minutes du Centre-Ville, l'Île des Sœurs, dont le petit bois et les marais à l'une des extrémités étaient un véritable paradis d'oiseaux : chaque année, à la belle saison, des milliers d'oiseaux appartenant à près d'une centaine d'espèces, y revenaient faire leurs nids.

Au cours des derniers mois, les bulldozers ont pratiquement tout nivelé...

Je continue de penser qu'on aurait pu protéger au moins une partie de ce terrain encore très sauvage il n'y a pas si longtemps.

L'explication ne se trouve pas dans la difficulté de faire accepter une loi ou un règlement qui protège l'environnement.

Elle se trouve en nous : dans le fait que nous n'aimons pas les végétaux, nous n'aimons pas les animaux, — nous n'aimons pas la vie.

Récemment, je racontais à quelques pesonnes qu'il m'arrive à l'occasion de promenades avec mon chien sur le Mont-Royal, en plein cœur de Montréal, de voir un hibou et, parfois aussi, un faucon.

L'une de ces personnes m'a aussitôt dit : « La prochaine fois, tu me donnes un coup de fil et j'arrive avec un fusil... » Ce fut la réaction d'un homme normal. Je dirais même plutôt pacifiste de nature.

Je décide de pousser plus loin : je veux comprendre sa réaction. Je lui demande pourquoi tuer de si beaux oiseaux alors qu'il en reste si peu dans nos régions.

Il me répond, le plus sincèrement du monde : « Un hibou ou un faucon, c'est aussi très beau empaillé au-dessus d'une cheminée... »

Et j'ai pensé : c'est bien ça, en effet, nous aimons les animaux lorsqu'ils sont empaillés ou dans des cages ou à la télévision.

Ou encore complètement aplatis, comme la plupart de nos animaux domestiques, complètement dépersonnalisés, — aliénés.

Nous n'avons plus de contact avec les animaux.

Ce qui, du point de vue psychologique, revient à dire que nous sommes coupés de notre part animale, autrement dit de notre instinct.

Nous n'aimons pas la vie.

Nous n'aimons pas davantage les enfants.

Les maisons que nous construisons en témoignent.

Nous les confions à la nourrice électronique.

Les enfants nuisent à la carrière des femmes, c'est bien connu, et empêchent le couple de tirer le meilleur parti de ses loisirs.

Les enfants sont des sauvages.

Les adultes sont des civilisés.

Les enfants n'ont plus leur place.

On leur a fait une année internationale.

Mais si un enfant chiale dans un restaurant, tout le monde est mal à l'aise.

Lorsqu'une femme enceinte entre dans un ascenseur, tout le monde est mal à l'aise.

Quand la femme se présente, les enfants ne sont jamais bien loin.

La femme, elle, vient souvent avec des enfants.

Avec des plantes, avec des animaux, avec des enfants.

La femme, si on peut dire, n'est jamais tout à fait civilisée.

Il y a en elle une terre sauvage.

Derrière la femme-culture, il y a la femme-nature.

La nature n'est jamais bien loin.

Et c'est pour quoi nous n'aimons pas la femme.

C'est notre partie sauvage. Ça vient avec des plantes, des animaux, des enfants.

La solution, c'est de civiliser la femme, — d'en faire un homme.

Et il s'en trouve qui prennent ça pour une libération.

Je prends un être, je l'enchaîne à un horaire idiot, dans un environnement de fer et de béton — et il me remercie de l'avoir ***libéré***.

Je ne comprends pas.

Nous sommes aliénés au point de ne plus savoir ce qui est bon.

Nous sommes coupés de la vie.

Nous détestons la vie.

Au fond de nous, dans la partie la plus profonde de l'inconscient, je soupçonne que nous regrettons de nous être incarnés.

L'histoire du déclin et de la disparition du berceau, comme le rappelle le grand anthropologue américain, Ashley MONTAGU, «*témoigne bien d'un autoritarisme mal informé et aveugle*».

J'ajoute, dans le présent contexte: démontre bien qu'en réalité on n'aime pas les enfants.

C'était à la fin du siècle dernier.

Les médecins et les infirmières propagèrent l'idée qu'il était dangereux d'être trop indulgent avec les enfants.

L'usage du berceau est soudain apparu comme une preuve de cette complaisance. Il reste encore quelque chose de cette attitude aujourd'hui.

«*Le fait que les mères aient*, comme le fait remarquer MONTAGU dans ***La peau et le toucher***, *depuis l'aube de l'humanité bercé les bébés dans leurs bras pour les endormir prouvait que cette pratique était archaïque: balancer les bébés dans des berceaux était suranné, vraiment pas "moderne".*»

Le dernier cri: le lit d'enfant fixe, le lit cage.

L'usage du berceau cessa lorsque devint à la mode l'idée que câliner un bébé, le caresser ou le bercer pouvait mettre en danger son développement d'individu indépendant et bien élevé.

Cette conception est encore loin d'être morte.

Bien qu'un grand nombre de spécialistes soient aujourd'hui en faveur du berceau.

C'est que l'usage du lit cage s'inscrit tellement bien dans le courant de haine de l'enfant entretenu à notre époque, — de haine de la vie.

Nous détestons la vie.

La vie sexuelle en particulier.

Les parents n'admettent pas la vie sexuelle de leurs enfants.

Mais les enfants, dont l'instinct est réprimé alors qu'ils sont encore tout jeunes, n'admettent pas davantage la vie sexuelle de leurs parents.

Il faut saisir le lien qui existe entre les végétaux, les animaux, les enfants et la femme.

Car il y a un lien.

•

La fonction de vie est autour de nous, elle est en nous : elle est dans le végétal, dans l'animal, dans l'enfant.

Elle est aussi dans le minéral — mais je pensais à *la vie qui bat.*

Elle est dans notre corps, dans notre sang.

Mais nous fuyons l'essentiel.

Nous refoulons la vie.

Nous menons une existence étriquée dont la conséquence est la haine de toute vie.

Le Dr Wilhelm REICH, l'un des pères de la psychologie moderne, celui dont la pensée n'a pas encore vraiment pénétré notre culture, a écrit plusieurs ouvrages sur le refoulement de la vie chez l'homme, dont l'un s'intitule ***Le Meurtre du Christ***.

Pour lui, le Christ représente le principe de vie en soi : « l'Énergie Vitale, innée et donnée par la nature, d'une manière presque parfaite. »

Et le Christ a été victime de la haine que ses contemporains portaient à la vie.

L'homme cuirassé continue de tuer en lui-même et à travers la femme, le principe de Vie.

le réveil de PAN

la responsabilité planétaire

Il s'agit maintenant de définir une nouvelle éthique.

L'éthique de notre responsabilité à l'échelle de la planète.

L'homme ne peut désormais prendre son destin en mains, que s'il prend du même coup la planète en charge.

Que s'il considère avoir la responsabilité de la vie sous toutes ses formes: minérale, végétale, animale.

La Terre est devenue le jardin de l'homme.

Il n'est plus possible de seulement *laisser vivre*.

De laisser la nature à elle-même, après en avoir si lourdement hypothéqué l'avenir.

Nous sommes allés trop loin pour pouvoir reculer.

Nous voulions conquérir la Terre.

C'est fait.

Nous avons réussi: la Terre nous appartient.

Maintenant, qu'est-ce qu'on en fait?

Le moment est venu de franchir une étape importante:

développer l'éthique de la responsabilité planétaire.

«*Les hommes doivent s'habituer à l'idée que le premier de tous leurs devoirs est aujourd'hui de se sentir collectivement responsables, non seulement vis-à-vis de leur groupe social ou de leur espèce, mais de la planète tout entière.*»

Carl AMERY, ***Fin de la Providence*** (Le Seuil).

« *LA SPIRITUALITÉ EST LA FORME LA PLUS ÉLEVÉE DE CONSCIENCE POLITIQUE* »

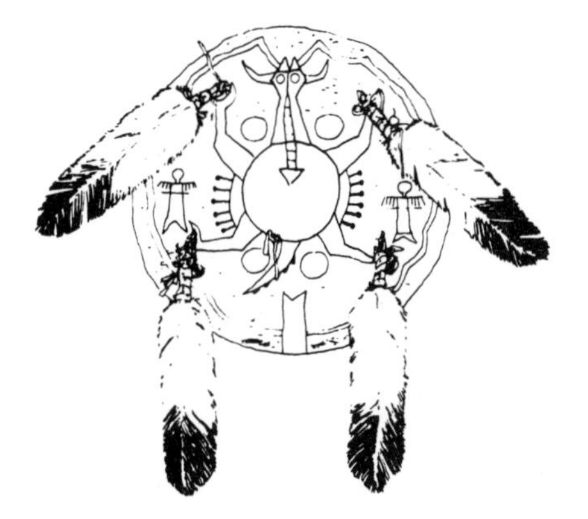

Cette citation est extraite du message des Six Nations communiqué à l'Organisation des Nations-Unies (Genève, 1977).

Pour la pensée amérindienne, tout ce qui existe au plan matériel participe de la même énergie, autrement dit de l'Esprit. Cette pensée s'inscrit parfaitement dans la Sagesse traditionnelle: sur l'essentiel, la pensée amérindienne recoupe, par exemple, le Taoïsme et, en général, les philosophies orientales; elle recoupe aussi la vision de l'Univers que nous propose aujourd'hui la science.

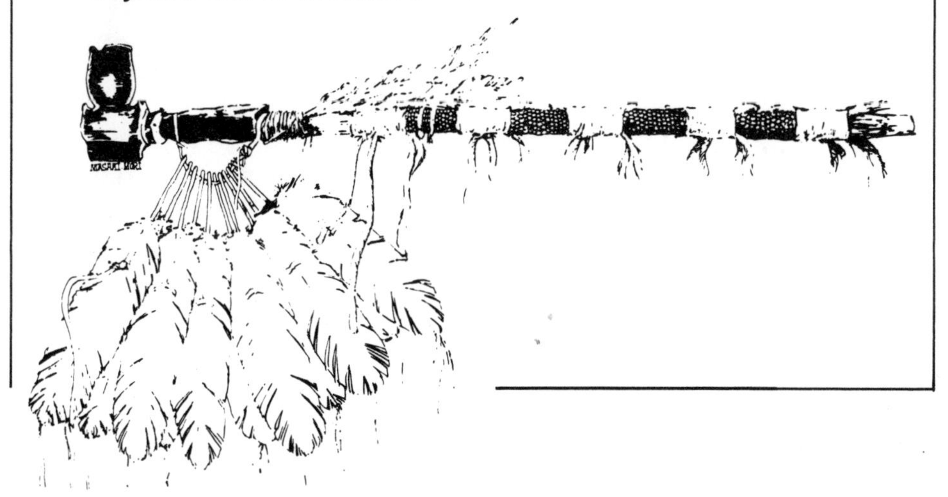

Extrait du message des *HAU-DE-NO-SAU-NÉE* au monde occidental.

Il n'y a pas si longtemps, les HAU-DE-NO-SAU-NÉE ou Six Nations, étaient un peuple puissant qui occupait un vaste territoire s'étendant du Vermont à l'Ohio, et du Québec d'aujourd'hui au Tennessee.

Le Conseil des Six Nations était la plus haute instance amérindienne dans cette partie du continent et, pour certains, elle le demeure, puisque, quoi qu'aient pu dire les Blancs, les Six Nations remplissent toutes les conditions qui définissent une nation.

Le Conseil est même un des plus anciens gouvernements qui ait fonctionné sans interruption sur cette planète.

La Constitution des Six Nations, ou Grande Loi de la Paix, est le plus ancien document du monde encore en vigueur qui reconnaissait déjà certaines libertés dont la démocratie occidentale revendique la paternité: liberté d'expression, liberté de religion et droits des femmes à participer au gouvernement.

Un des leaders spirituels Sioux, SELO BLACK CROW, déclare :

« *Le créateur a fait toutes les choses, la vie des plantes, la vie dans l'eau et les animaux ailés. L'homme a perdu de vue les enseignements de notre Mère la Terre, c'est pourquoi nos eaux et notre ciel sont si pollués. On doit se rappeler sans cesse la nécessité de l'harmonie de toutes choses avec la nature, et de toutes choses entre elles.*

« *Notre futur est dans notre passé, le futur n'est qu'une illusion.*

« *Nous n'avons jamais violé notre Mère-Terre. Pour nous la Terre est sacrée.*

« *Je vois l'homme blanc abattre un arbre sans une prière, sans un jeûne, sans respect d'aucune sorte. Et pourtant, l'arbre peut lui dire comment vivre, l'araignée aussi, ou le serpent, le raton-laveur, l'ours, le saumon et l'aigle.*

« *Il faut que les peuples qui vivent sur cette planète en finissent avec le concept étroit de libération de l'homme et qu'ils commencent à voir que la libération est quelque chose qui doit être étendu à l'ensemble du Monde Naturel. Ce qu'il faut, c'est la libération de toutes les choses qui entretiennent la Vie, — l'air, les eaux, les arbres — toutes les choses qui entretiennent la trame sacrée de la Vie.*

« *Les instructions originelles ordonnent que nous, qui marchons sur la terre, témoignons un grand respect, de l'affection et de la gratitude envers tous les esprits qui créent et entretiennent la Vie. Nous saluons et remercions les nombreux alliés de notre propre existence : le blé, les haricots, les courges, les vents, le soleil. Lorsque les gens cessent de respecter toutes ces nombreuses choses et d'en savoir gré, alors toute vie sera détruite et la vie humaine sur cette planète touchera à sa fin.* »

Voix Indiennes, *Le message des Indiens d'Amérique au monde occidental* (Les Formes du Secret).

Il y a quelque 2 000 ans, le dieu **Pan** est mort.

C'est-à-dire la croyance qu'avaient les païens de participer d'un univers vivant.

L'homme se considérait alors comme intégré à la Nature : il se comprenait dans la Nature.

L'idée qu'il eut à conquérir le reste de la création, lui aurait sans doute paru absurde. On ne conquiert pas ce qui nous comprend.

Mais, avec les grandes religions patriarcales, l'homme se prend tout à coup pour une créature d'exception. Il croit être sa propre fin : les minéraux, les végétaux, les animaux — tout est là pour le servir.

Il se croit même une mission : celle de conquérir la Nature et de l'assujettir.

Et son mandat, il le tient de Dieu Lui-Même.

L'inspiration polythéiste de l'Antiquité, l'inspiration cosmique, est désormais morte et enterrée.

La nouvelle religion, celle qui allait accoucher de notre civilisation technologique, est perçue par les païens comme une sorte de barbarie. Exactement le contraire de ce que nous sommes conditionnés à penser. TACITE résume ce jugement dans une phrase dirigée contre les Juifs : « ***profanum illis omnia quae apud nos sacra : tout leur est profane, qui pour nous est sacré*** ». Telle est l'accusation que le monde antique porta contre le judaïsme et, plus tard, contre le christianisme : une accusation d'***asébeia*** d'***impietas*** — la négation de la présence du divin dans la nature, du sacré dans le monde.

Le Dieu du monothéisme des Juifs et, plus tard, des Chrétiens, apparaît comme au-dessus de Sa création : elle est en dehors de Lui.

Et l'homme étant créé à Son image, se trouve lui aussi au-dessus de la création.

Alors que le Dieu du polythéisme est, par définition, multiple : le divin se trouve incarné dans la Nature, dans la Matière — dans la source, dans la plante, dans le rocher même. L'Esprit est présent partout. L'homme est intégré à cet ensemble et il doit vivre en harmonie avec l'environnement s'il veut vivre en harmonie avec les dieux et avec lui-même.

Qu'on m'entende bien : je ne parle pas ici théologie, mais simplement de la perception que l'on a du divin, selon les deux grands courants, et de l'attitude, du style de vie, qui en découle.

Par ailleurs, je suis conscient que les Écoles ésotériques qui se rattachent d'une certaine façon aux grandes religions accordent une importance considérable au principe féminin. Je pense, par exemple, à la Kabbale :

« *En Hébreu, la divinité est Père-Mère. La partie Mère est la perfection. (...) Cette partie féminine de la divinité est en exil (dans la Matière), parce que seule la femme (au sens de principe féminin) est capable d'amour...* » (A.-D. GRAD, lors d'une allocution improvisée.)

Mais je pense aussi bien à la Rose-Croix, à la Gnose, à l'Alchimie pour qui le secret du divin est aussi dans la Matière. Il faut bien dire du reste, que ces Écoles n'ont pas survécu sans mal à l'ombre des grandes entreprises patriarcales que sont les religions officielles et leur enseignement exotérique.

Quant à moi personnellement, je ne fais plus guère de différence entre le monothéisme et le polythéisme : je crois que le multiple est contenu et participe de l'UN et qu'il n'y a rien en dehors de l'UN. — Ce dont je parle plus loin dans le chapitre sur la Matière.

Ma démarche prend appui sur l'observation d'une situation:

nous avons fait la conquête de la nature, mais aujourd'hui nous sommes dénaturés.

Elle est, par ailleurs, intuitive: je comprends intuitivement le trouble de TACITE et je constate que la situation est aujourd'hui la même.

Je découvre que cela pourrait bien être dû à une attitude culturelle et au conditionnement qui en découle.

L'attitude face au milieu naturel est très différente de la part de ceux qui voient le divin partout.

On ne pollue pas une source qui participe de l'Esprit.

On ne tue pas inutilement un animal qui participe de l'Esprit...

Mais aujourd'hui, le dieu PAN est en train de renaître. Et c'est à la science que nous devons cette renaissance — curieux retour des choses —, plus précisément à la physique.

La conception panthéiste de l'Univers est en effet proche de la conception scientifique.

Pour les scientifiques de la **nouvelle Gnose**, dite de Princeton, ***l'Univers est une structure consciente d'elle-même***.*

« ***Si chaque femme essayait de retrouver le sens sacré de la vie, elle pourrait devenir une espèce de prêtresse de l'écologie.*** »

Claudine BRELET

* Dans mon livre ***La Voie Initiatique***, je consacre plusieurs pages à ce qui me paraît l'un des phénomènes importants de notre époque: le rapprochement de la science et de la mystique.

la Matière

Voici une pomme.

Si je retire l'énergie de cette pomme, que reste-t-il ?

Rien.

Car il n'y a rien d'autre dans l'univers que de l'énergie.

Des patterns d'énergie.

C'est ce qui forme ce que nous appelons la **matière.**

« Néanmoins, toute chose est vivante.
Voilà le fait fondamental.
Tout vit et vibre.»

Ramana MAHARSHI

Au cours du dernier demi-siècle, la Science a pénétré de plus en plus au cœur de la Matière.

Nous savons désormais qu'au niveau subatomique des particules, la matière comme telle n'existe pas : il n'y a que des patterns d'énergie.*

Je m'étonne toujours de constater jusqu'à quel point cette découverte est méconnue du grand public et, par conséquent, les réflexions qu'elle entraîne peu répandues.

On continue de vivre, d'agir et de penser comme si l'explication de l'univers reposait sur la matière à peu près telle qu'on la comprenait vers la fin du siècle dernier.

Depuis la bombe atomique, il est pourtant difficile de nier qu'aux niveaux atomique et subatomique, ce qu'on appelle la réalité est essentiellement de l'énergie...

Pourtant, on assiste depuis quelques années à un rapprochement de la Science et de la Mystique ; mais ce phénomène n'influence pas encore notre vécu collectif. *

* J'ai consacré plusieurs pages dans ***La Voie initiatique***, à cette découverte qui me paraît la plus importante de notre époque.

*« Je veux insister sur l'importance de la racine sanscrite "**ma**" qu'on trouve dans **manas**, le mental et dans **maya**. "**Maya**" signifie étymologiquement "mesure" et il y a là une donnée essentielle. Cette même racine, vous la retrouvez dans toutes les langues indo-européennes y compris la langue anglaise; vous la retrouvez en latin, vous la retrouvez en grec, vous la retrouvez en français. Vous la rencontrez dans les différents mots qui signifient la **mer** (l'Océan), dans différents mots qui signifient la **mère** (la maman); **maternel**, **maternité, matrice** ; vous la retrouvez dans **matière**, **matériau**, dans le mot français **madrier**, l'espagnol **madera** qui signifie le bois. Le bois a été souvent, dans le symbolisme et les analogies, considéré comme la représentation de toute la matérialité ; c'est pourquoi l'arbre joue un si grand rôle dans la plupart des Traditions ; c'est pourquoi le Bois de la Croix dans le symbolisme chrétien, représente la possibilité de dépasser la matière en prenant appui sur elle. Et c'est aussi une racine qui se trouve dans notre mot français **mètre** ou dans l'anglais **meter**. Mesure, mère, mer, matière, matériau, tous ces mots ont une origine commune et vous découvrirez un Enseignement très riche si vous vous penchez sur la signification de cette parenté. »*

Arnaud DESJARDINS, ***Au-delà du moi*** (La table ronde).

« ***Toutes les choses sont pleines des dieux.*** »

THALÈS (six siècles avant J.-C.).

Selon la Sagesse traditionnelle, la Terre comme du reste, tout ce qui existe dans l'Univers, est animée par une force vitale, une énergie évolutive, qui se manifeste à divers niveaux à travers les règnes:

c'est ainsi que l'on peut parler de l'âme minérale comme d'une manifestation particulière de cette énergie; aussi bien que de l'âme végétale et de l'âme animale...

Cette force évolutive est la **SHAKTI** des Hindous:

l'énergie féminine qui habite la matière, qui est l'agent de son perfectionnement vers des états de plus en plus élevés pour n'être plus, à un moment, que la Conscience pure.

C'est la Mère.

On ne doit donc pas l'entendre seulement comme l'énergie qui est à l'origine de la création: ***Au commencement était la Mère***...; mais aussi et surtout comme le processus même de la création ininterrompue, de la transformation continuelle de l'Univers.

Car la création, se poursuit; **tout est toujours en train de devenir**.

Et la Mère est précisément l'énergie évolutive qui agit dans la matière — l'agent de la transformation de la matière.

La Mère Matière, **Mater Materia**, est toujours en train d'accoucher de la matière qui est toujours en train de se transformer vers des états de plus en plus dégagés de la forme, du poids, de la gravité;

vers des états de plus en plus élevés pour n'être plus, à un moment, que la Conscience pure.

C'est ainsi que des particules de l'âme minérale (si nous devons maintenant considérer le processus dans ses parties et non plus dans son ensemble) vont éventuellement participer de l'âme végétale, puis de l'âme animale...

Ce processus n'ayant ni commencement ni fin, il se trouve toujours des particules qui se manifestent à un niveau inférieur et qui vont, petit à petit, acquérir l'information nécessaire pour s'élever dans l'échelle des manifestations au plan matériel.

Autrefois, on parlait du minéral comme du règne de la matière inerte. Aujourd'hui, on sait qu'il n'existe pas de matière inerte. Rien n'est mort dans la matière. L'énergie vitale est partout présente. Sous forme de particules. L'opposition entre Matière et Esprit n'est qu'apparente. Ce sont plutôt les deux aspects confondus d'une même réalité.

Cette énergie de la Matière, c'est la Mère — agent de la naissance et de la mort de tout ce qui prend forme et se transforme.

Cette partie de mon propos du reste, est désormais du domaine scientifique. Pour les physiciens, matière et énergie sont deux termes qui concrètement désignent la même réalité.

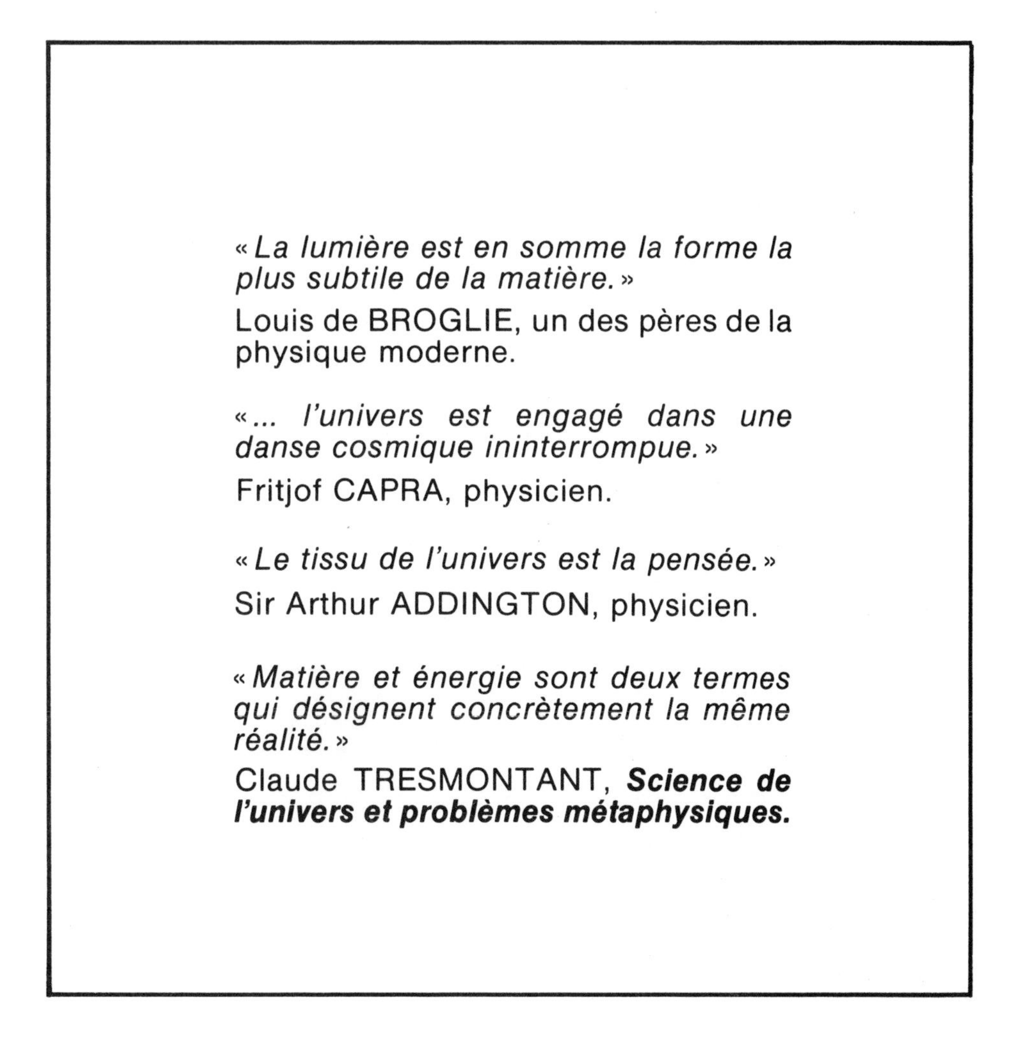

«*La lumière est en somme la forme la plus subtile de la matière.*»

Louis de BROGLIE, un des pères de la physique moderne.

«*... l'univers est engagé dans une danse cosmique ininterrompue.*»

Fritjof CAPRA, physicien.

«*Le tissu de l'univers est la pensée.*»

Sir Arthur ADDINGTON, physicien.

«*Matière et énergie sont deux termes qui désignent concrètement la même réalité.*»

Claude TRESMONTANT, ***Science de l'univers et problèmes métaphysiques.***

le corps

«... Je crois en la chair et les appétits,
Voir, entendre, toucher sont miracles, et chaque partie
[et bout de moi-même est un miracle.
Envers et endroit, je suis divin, et je sanctifie tout ce
[que je touche ou par quoi je suis touché,
La senteur de ces aisselles est arôme plus fin que
[la prière,
Cette tête plus qu'églises, bibles et tous les
[credos...»

Walt WHITMAN

La Matière, pour chacun d'entre nous, c'est d'abord notre propre corps.

Il y eut, à un moment, cette séparation dans la pensée occidentale entre l'Esprit, considéré comme le Bien, et la Matière, le Mal.

Ce qui en pratique devait se traduire pour l'individu par une séparation de son esprit et de son corps.

Le corps a été pendant des siècles en Occident et l'est encore du reste, pour plusieurs, le véhicule du Mal.

La **haine de la vie** s'est tout particulièrement exercée à l'endroit du corps.

Cette haine s'est traduite par un très grand nombre de pratiques démentielles que l'Histoire, la petite sinon la grande, a retenu.

Je pense, par exemple, à celle qui a consisté à habiller les statues ; ou encore à attacher les enfants dans leurs lits de façon à ce qu'ils ne puissent pas toucher, même involontairement, leurs organes sexuels ; ou encore à obliger les Polynésiennes à se vêtir pour ramasser les coquillages dans les lagons et les récifs — les missionnaires obligeant ainsi ces jeunes filles et ces femmes à conserver sur elles leurs vêtements humides, ce qui, à une époque, aurait contribué au progrès de la tuberculose dans les Îles.

Ces pratiques remontent à moins d'un siècle.

Mais la conséquence la plus dramatique de cette séparation se trouve dans notre attitude négative face au corps.

Cette attitude se traduit, par exemple, par le peu d'effort que l'on fait pour s'informer sur l'alimentation et se nourrir correctement.

Le programme scolaire ne prévoit pas, ou encore trop peu, de temps pour communiquer ce genre d'informations. Étant donné l'importance déterminante de l'alimentation sur le bien-être et le fonctionnement de l'individu, on se demande quels sont les critères à partir desquels sont évaluées les informations à transmettre aux générations qui suivent ?

Dans plusieurs institutions d'enseignement, on trouve encore du reste, des appareils distributeurs automatiques d'aliments-friandises (« junk-food »).

On fait aussi bien peu de cas de l'exercice physique.

Dans la société en général et dans le système d'éducation en particulier. Bien qu'il y ait depuis peu un certain progrès dans ce sens.

Quant à procurer du plaisir au corps, je pense ici au bain, au massage, à la danse — à toutes les techniques permettant de vivre pleinement son corps, de le mieux connaître, comme de se servir habilement de ses mains, ou encore de se guérir par les voies naturelles, ou simplement d'être-au-monde-dans-son-corps —, nous commençons à peine à les inscrire dans nos vies.

Les **sources physiques d'énergie** pour le corps sont

- la lumière
- l'air
- la nourriture.

La pensée traditionnelle enseigne que ces sources physiques sont aussi les véhicules de sources plus subtiles (astrales).

Autrement dit, le soleil, l'air et la nourriture répondent à des besoins purement physiques, en même temps qu'ils véhiculent l'énergie psychique qui répond à d'autres besoins.

L'énergie qu'on appelle *prana* (dans la pensée indienne) ou *ki* (dans la pensée chinoise) est donc en partie acheminée jusqu'à nous par la lumière, l'air et la nourriture.

Cette énergie plus subtile peut aussi être acheminée par la pensée.

la lumière

Les particules de lumière sont absorbées par l'ensemble de l'organisme.

Mais l'œil, on s'en doute, est un organe privilégié pour recevoir la lumière.

Des expériences ont démontré que la stimulation du nerf optique a pour effet de stimuler le système endocrinien.

Lorsqu'on s'éveille le matin et que la lumière frappe l'œil, l'organisme se trouve aussitôt stimulé. S'il arrive qu'on s'éveille au petit jour et qu'on veuille se rendormir, il faut même éviter d'être ainsi stimulé par la lumière, même artificielle.

C'est la lumière qui serait la principale cause de la **fièvre du printemps**.

Depuis le solstice d'hiver jusqu'au solstice d'été, les jours sont de plus en plus longs; ce qui revient à dire que nous sommes exposés un peu plus chaque jour à la lumière solaire.

C'est précisément le fait d'être graduellement exposés un peu plus chaque jour à la lumière solaire, qui finirait par avoir sur nous, au niveau de la sécrétion hormonale, un effet qui déclencherait ce qu'on appelle la fièvre du printemps.

L'une des expériences qui ont confirmé cette hypothèse a consisté à provoquer la fièvre du printemps en plein hiver chez des oiseaux soumis, en laboratoire, à une accélération du cycle annuel. À cette époque de l'année, nous sommes donc un peu plus chaque jour bombardés de particules de lumière. Mais la qualité de l'énergie qui monte en chacun de nous n'est pas la même pour tout le monde. Les êtres déracinés dans le temps, qui ne vivent pas, ou pas assez, en harmonie avec les saisons, qui passent une partie de leur existence enfermés dans des blockhaus de béton où la lumière ne pénètre pas, ou qui ne profitent pas de leurs loisirs, ou pas assez, pour batifoler au soleil, n'absorbent pas toute la lumière solaire dont ils ont besoin pour que se manifeste au maximum la poussée d'énergie du printemps.

Il en va de cette fièvre comme de tout le reste: on finit pas par avoir la fièvre du printemps qu'on mérite...

Il faut apprendre à vivre comme un ***tournesol — tourné vers le soleil****.*

l'air

Pour ce qui est de la respiration, il s'agit d'abord de prendre conscience de son processus.

Il se déroule en quatre temps:

- inspiration
- courte rétention
- expiration
- courte rétention externe

C'est du reste, une excellente forme de méditation que **l'attention à la respiration**.

Prendre conscience, donc, du processus de la respiration et développer, petit à petit, la conscience de la respiration.

C'est un très bon moyen de contrôler les émotions.

La peur, par exemple, met l'accent sur l'inspiration. L'organisme a besoin de plus d'oxygène pour accompagner l'accélération de la circulation sanguine.

Lorsqu'on comprend le fonctionnement de ce mécanisme de défense de l'organisme, on peut intervenir consciemment et procéder à une ventilation systématique, ce qui permet de contrôler, du moins en partie, cette émotion.

la nourriture

« Au moment où s'achève ce siècle dit de progrès, nous allons devoir tout simplement réapprendre à manger. »

Stella et Joël de ROSNAY,
La Mal Bouffe (Éditions Oliver Orban).*

Il existe un rapport direct entre la plupart des grandes maladies de la société industrielle et la surconsommation ou le déséquilibre alimentaire.

Pendant que le Tiers-Monde crève de faim... nous crevons de trop manger ou de mal manger.

En Amérique, et dans la plupart des pays développés, on estime que 60% des causes de décès sont associées à de mauvais régimes alimentaires.

Stella et Joël de ROSNAY écrivent : « ***Ce que nous mangeons est à la fois trop copieux, trop carné, trop gras, trop sucré, trop salé, trop raffiné et trop "arrosé".*** »

Voilà qui résume toutes les études qui ont été faites ces dernières années sur l'alimentation en Occident.

Il faut prendre au sérieux l'alimentation.

C'est d'elle que dépend en bonne partie notre bien-être.

Non seulement physique mais aussi psychologique.

Car les biologistes estiment que ce que nous mangeons influence notre manière de penser et d'agir.

On revient au vieil adage : « ***On est ce qu'on mange.*** »

* Cet ouvrage résume clairement toutes les études qui ont été faites depuis quelques années sur cette importante question. À la fois très documenté et très accessible, il met l'accent sur l'essentiel qui est, somme toute, le style de vie. On n'adopte pas un régime — sauf dans le cas de maladies spécifiques; mais on adopte un style de vie qui place l'alimentation dans l'ensemble de l'expérience quotidienne.

le toucher

Il s'agit de mieux comprendre l'**interaction** de l'être et de l'environnement: la perception des messages qui viennent de l'environnement.

Quel est le sens le plus important?

Invariablement, on répond: la vue.

Je suppose qu'il faut tenir compte ici du drame de l'aveugle auquel tout le monde s'est identifié au moins une fois dans sa vie.

Mais aussi de ce que notre civilisation est **extravertie** tournée vers l'extérieur.

Or, la vue nous renseigne sur ce qui se trouve à l'extérieur du moi.

Contrairement à l'ouïe: alors que je suis *touché* par les ondes sonores, ce que je perçois par la vue se trouve à l'extérieur de moi — la vue est même le sens de la perception de ce qui est le plus loin.

La bonne réponse est: le **toucher**.

Le toucher est à la fois actif: je touche, et passif: je suis touché; il est aussi conscient et inconscient.

Il m'informe sur la température et la pression, aussi bien que la nature du contact physique.

Il englobe aussi certaines expériences comme celle du mouvement: le sens kinétique, ou encore, comme celle de ma situation dans l'espace, par exemple, si j'ai la tête horizontale ou verticale (grâce à l'oreille interne, — du reste, le toucher et l'ouïe sont des sens étroitement liés: ce sont les *mécano-récepteurs*, car la nature des stimuli est la même, c'est pourquoi on peut parler d'une génération *audio-tactile* par rapport à *visuelle*); de même que l'expérience de la faim et le désir sexuel: ce qu'on appelle le *sens viscéral*...

Le toucher est le sens du **moi dans l'espace-temps**.

De la perception du moi.

Si le toucher m'était supprimé, je perdrais tout contact avec la réalité.

Je deviendrais un légume ou je mourrais.

« La peau est ce qu'il y a de plus profond en moi. »

Paul VALERY

La peau, en tant qu'organe, a été négligée comme objet d'étude jusqu'à tout récemment.

On découvre aujourd'hui que l'expérience tactile de l'enfant affecte le développement ultérieur de son comportement — ce qu'il a vécu au niveau sensoriel, mais aussi ce qu'il n'a pas vécu.

*Les interdits relatifs à l'expérience tactile commencent par « **non, non, non, touche pas** », ce qui par voie de conséquence signifie aussi « **ne te laisse pas toucher** ».*

Le grand anthropologue américain, Ashley MONTAGU, dresse un sombre tableau de notre civilisation du non-toucher dans son livre **La peau et le toucher** (Seuil), *véritable plaidoyer pour une réhabilitation du toucher.*

La peau est du reste, le plus vaste de nos organes.

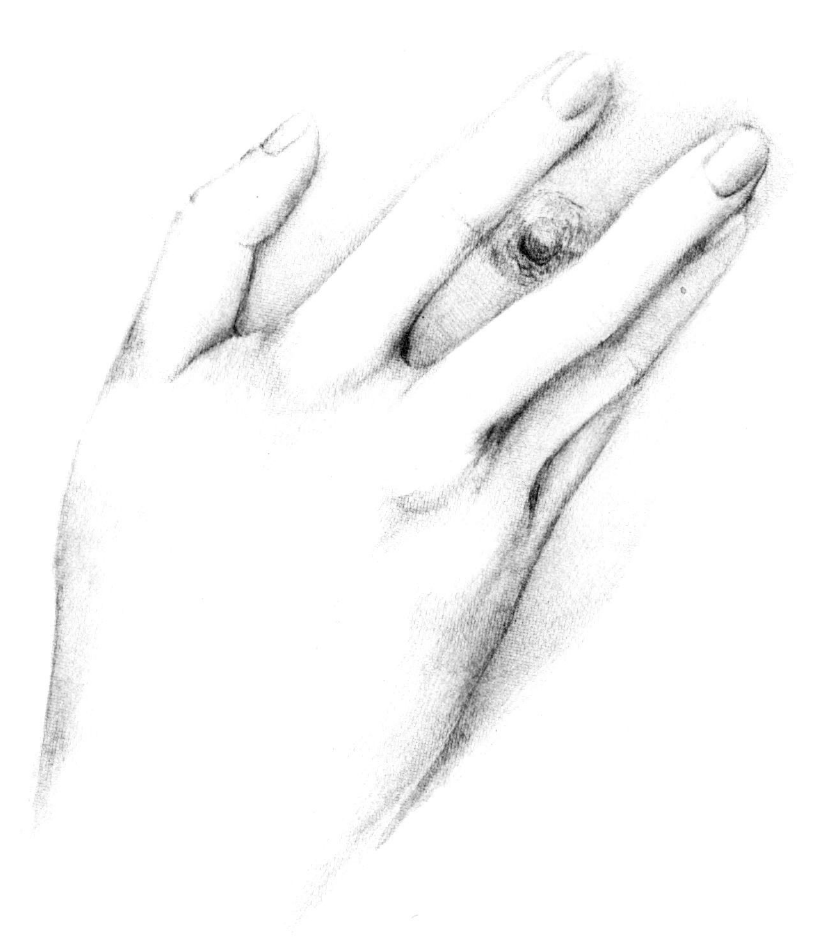

Au cours de l'évolution, la **main** qui est l'outil le plus polyvalent de la création, se serait développée en même temps que le cerveau.

C'est l'outil tactile par excellence.

La main permet le contact le plus réel avec l'environnement.

Les émotions, les tensions passent par les mains.

Nos angoisses, nos moments de paix intérieure, nos mains savent les exprimer.

Elles prennent, elles donnent.

« ... je lèverai les yeux sur les collines,
de là viendra mon salut... »

Erasmus DARWIN, le grand-père de Charles DARWIN, dans un ouvrage surprenant publié pour la première fois en 1794, ***La Zoonomie ou les Lois de la vie organique***, a émis l'hypothèse d'une relation entre l'allaitement au sein et le développement ultérieur :

> « *Toutes les formes de plaisir sont fondamentalement associées à la forme du sein maternel. Lorsque le bébé l'attrape de ses mains, le presse de ses lèvres, le regarde de ses yeux, il acquiert des notions plus précises sur la forme du sein de sa mère, que par la perception globale qu'il en a par ses autres sens, l'odeur, le goût et la chaleur. C'est pourquoi à l'âge adulte, quand notre regard se pose sur un objet dont les lignes courbes ou ondulantes présentent une similitude avec la forme du sein d'une femme, nous ressentons une vague de plaisir qui gagne tous nos sens ; que ce soit devant un paysage avec des collines douces qui montent et descendent, ou devant la forme de certains vases antiques, ou d'autres œuvres dessinées à la plume ou ciselées. Et pour peu que l'objet ne soit pas trop gros, nous éprouvons le désir de le prendre dans nos bras et d'y poser nos lèvres, comme nous le faisions dans notre prime enfance avec le sein maternel.* »

L'anthropologue américain Ashley MONTAGU commente ce passage en ces termes : « *Celui qui a écrit les mots du psaume "**je lèverai les yeux sur les collines, de là viendra mon salut**" était peut-être sous l'influence de sensations précoces de cette nature...* »

Alors que le principe masculin met l'accent sur la perception visuelle;

le principe féminin, lui, met l'accent sur la perception audio-tactile.

La vue est le sens qui permet de percevoir ce qui est le plus loin de l'être — en dehors, à l'extérieur. Alors que l'ouïe et le toucher permettent de percevoir ce qui est le plus près de l'être:

en principe, je suis à l'extérieur de ce que je vois, alors que je suis à l'intérieur de ce que j'entends, ou encore de ce que je perçois par la peau.

Ceux dont l'univers est surtout visuel sont plus extravertis, tournés vers l'objet, à l'extérieur d'eux-mêmes;

*alors que ceux dont l'univers est surtout audio-tactile sont plus introvertis, tournés vers le sujet, à l'intérieur d'eux-mêmes. On retrouve ici l'opposition dont je parle ailleurs entre l'**hors-soi** chez l'homme et l'**en-soi** chez la femme.*

Mettre l'accent sur le principe féminin, c'est redécouvrir l'ouïe et surtout le toucher.

Ce mouvement a du reste été amorcé par les jeunes au cours des années soixante.

Selon Marshall McLUHAN, alors que leurs parents sont des visuels (au sens où je l'ai défini plus haut), la nouvelle génération est audio-tactile.

*Ce qui revient à dire, plus **féminine**.*

le sexe

« Or, il devint aussi gros qu'un homme et une femme se tenant embrassés. Il divisa ce corps, qui était lui-même, en deux parties qui devinrent l'époux et l'épouse... »

Mythe indien

Ce mythe indien nous raconte la création du monde matériel :

la nécessité pour l'UN de se diviser en DEUX, de créer tout d'abord une polarité.

De l'union de ces opposés complémentaires sortira la multiplicité.

Mais la création se poursuit.

(Du reste, a-t-elle déjà commencé ? Finira-t-elle vraiment un jour ?)

Elle se poursuit dans la transformation ininterrompue de la Matière.

Au plan où nous sommes, rien n'est immuable, tout est transformation.

À travers l'interaction de l'électron (négatif) et du positron.

Elle se poursuit aussi dans l'union de tous les opposés complémentaires, de l'ovule et du spermatozoïde.

La sexualité est la participation instinctuelle, consciente ou non à l'Eros cosmique, — à la Création.

C'est l'obéissance à une pulsion qui nous gouverne, depuis le point **alpha** jusqu'au point **omega** de l'évolution, qui nous fait ressentir et nous pousse à transmuter le courant énergétique qui est à l'origine de l'Univers.

La **dualité** est la Voie de la Matière. Mais dans la fusion des opposés complémentaires se trouve aussi la **médiété**, la synthèse qui permet de revenir à l'origine, — à l'UN.

La fusion des opposés complémentaires en vue de la multiplicité est donc aussi la Voie qui permet de remonter à l'Unité.

Les deux objectifs poursuivis à travers la sexualité sont :

par rapport au collectif, la reproduction de l'espèce, afin que se poursuive l'expérience humaine au plan matériel où l'évolution remonte lentement du multiple vers l'UN ;

par rapport à l'individuel, la perte provisoire du moi et la libération de la prison de la matière par l'extase orgasmique, l'évolution consistant aussi, au plan de l'individu comme à celui de la collectivité, à remonter du multiple vers l'UN.

« *L'amour génital divin précède (...) de beaucoup la fonction de reproduction. L'étreinte génitale n'a (...) pas été créée par la Nature et par Dieu dans le seul but de la reproduction.* »

Wilhelm REICH, ***Le meurtre du Christ***,
(Éditions Champ Libre).

L'androgyne absolu serait constitué de deux êtres, l'un à l'intérieur de l'autre :

la femme serait à l'intérieur et l'homme à l'extérieur.

Dans le couple, **le centre est la femme**.

Et tous les deux, la femme aussi bien que l'homme, recherchent ultimement le centre — c'est-à-dire la femme.

Pour les deux, l'objet du désir est la femme.

L'homme désire la femme pour l'atteindre, elle.

La femme, elle, désire l'homme comme moyen de s'atteindre elle-même.

le cerveau

Le cerveau joue un rôle déterminant dans l'interaction qui nous intéresse du corps et de l'esprit.

Le cerveau est d'abord l'ordinateur (si je puis dire) qui rend possibles le fonctionnement du corps et son interaction avec le milieu.

Le cerveau est aussi l'outil d'adaptation de la conscience au monde matériel.

La conscience de l'homme est cosmique.

Mais aussi longtemps qu'il est dans le monde de la Matière, il lui faut fonctionner adéquatement.

Et c'est le cerveau qui lui permet d'adapter sa conscience à l'univers physique.

Le cerveau ne laisse passer qu'une partie de la conscience de l'individu.

Au cours de l'évolution de l'homme, il s'agit précisément d'augmenter petit à petit la part de la conscience que laisse passer le cerveau.

Comme chacun sait, notre cerveau est loin d'être utilisé à sa capacité. La plus grande partie, pour reprendre le mot d'EINSTEIN, est ***silencieuse***.

Autrement dit, l'outil est déjà là qui permettrait d'adapter aux conditions de la vie au plan matériel, une partie beaucoup plus vaste de la conscience.

Ces dernières années, des recherches ont été faites sur les deux hémisphères du cerveau.

*L'hémisphère gauche contrôle ce que la pensée traditionnelle appellerait l'**être de droite** — actif, extraverti, tourné vers l'objet.*

*On retrouve ici l'**hors-soi** qui définit le principe masculin.*

C'est le siège du langage et de l'écriture, de la désignation des choses de l'environnement, de la faculté analytique.

C'est l'hémisphère logique.

C'est le cerveau masculin.

*L'hémisphère droit, en revanche, contrôle ce que la pensée traditionnelle appelle l'**être de gauche**, — réceptif, introverti, tourné vers le sujet.*

*On retrouve ici l'**en-soi** qui définit le principe féminin.*

C'est le siège de la faculté d'expression non verbale, des aptitudes spatiales, visuelles et musicales.

*C'est aussi le siège de notre **pouvoir de synthèse** *.*

qui permet de voir le monde comme un tout, comme un ensemble organique et non pas comme un collage d'éléments séparés.

C'est donc le siège de la conscience de l'interaction.

C'est l'hémisphère intuitif.

C'est le cerveau féminin.

* La démarche ***holistique*** (du grec *holos: entier*) s'inspire du principe féminin. En médecine, par exemple, où la démarche holistique émerge lentement, elle vise à soigner non pas un organe malade, ce qui découle de la spécialisation, mais l'individu lui-même considéré comme un tout, tenant aussi compte de ses rapports avec les autres et avec l'environnement.

De même que la pensée ***systémique*** est féminine, qui étudie le fonctionnement d'un système (un individu, une société, une entreprise, peu importe) en fonction de l'interaction des éléments de ce système entre eux.

Or, nous constatons que l'hémisphère masculin est hypertrophié, en particulier chez les Occidentaux :

nous mettons trop l'accent sur les valeurs qui découlent de cette façon d'appréhender la réalité,

à travers les mots, l'analyse logique, qui débouche, entre autres, sur la centralisation et la surspécialisation.

Au contraire, l'hémisphère féminin est atrophié.

Autrement dit, il s'agit pour nous de redécouvrir le féminin jusqu'au niveau du cerveau.

la sagesse du corps

Le corps est un organisme vivant et non pas une machine.

Il comporte, entre autres, d'innombrables mécanismes d'autorégulation.

Ces mécanismes font de l'autoguérison naturelle une réalité.

Dans l'enseignement clinique de la médecine, dominé par la spécialisation, on ne parle pour ainsi dire jamais de l'autoguérison.

On trouve pourtant dans les annales de la médecine de bien curieuses expériences. Comme, par exemple, celle faite par le grand clinicien français, le Professeur TROUSSEAU dans la clinique médicale de l'Hôtel-Dieu de Paris : pendant un an il a laissé 50% de ses malades souffrant des mêmes affections sans médicaments, alors que les autres 50% étaient soignés par les médicaments usuels. ***Dans les deux groupes, le pourcentage des guérisons était le même.***

La première règle de la médecine est ***nil nocere***, — c'est-à-dire ne pas nuire aux mécanismes d'autorégulation et d'autoguérison du corps.

Plutôt que d'intervenir de l'extérieur et d'agir comme si le corps était une machine, le médecin devrait utiliser davantage les mécanismes d'autorégulation du corps.

Parlant du **rôle du médecin**, le professeur René DUBOS, dans ***Chercher*** (Stock), une série d'entretiens avec le professeur ESCANDE, dit : « ***Il consiste, évidemment, à donner un traitement approprié, mais aussi, en grande partie, à mobiliser chez vous, dans votre organisme, tous ces mécanismes naturels qui protègent contre la maladie ou la guérissent.*** »

la danse

> «*Danser, c'est d'abord établir un rapport actif entre l'homme et la nature, c'est prendre part au mouvement cosmique et à sa maîtrise.*»
>
> Roger GARAUDY, ***Danser sa vie*** (Seuil).

La danse est dans l'Univers,

elle est dans les vagues de l'océan,

elle est dans le balancement de la fleur sur sa tige,

elle est dans la ronde des termites,

elle est dans le vol nuptial des libellules,

elle est dans le travail: dans la répétition ritualisée des gestes du labeur,

elle est dans les semailles,

dans les récoltes,

elle est dans les épluchettes,

elle est dans le temps retrouvé des loisirs,

elle est dans la guerre pour conjurer le mauvais sort,

elle est dans la paix revenue...

elle est dans le ciel de DANTE pour qui la danse est l'activité majeure des bienheureux: «***c'est l'amour qui meut le ciel et les autres étoiles***»,

elle est dans le cœur de l'homme qui danse d'un mouvement asymétrique et dynamique,

elle est dans le centre de l'univers.

Le grand chorégraphe Maurice BÉJART, dans sa préface de l'ouvrage de Roger GARAUDY, écrit: «***Il est aussi important pour l'enfant de danser que de parler, de compter ou d'apprendre la géographie. Il est essentiel, pour cet enfant, né dansant, de ne pas désapprendre ce langage sous l'influence d'une éducation répressive et frustrante.***»

« Notre Dieu est le dieu danseur qui, semblable à la chaleur du feu qui embrase le bois, irradie son pouvoir dans l'esprit et dans la matière, et les entraîne à leur tour dans la danse. »

Hymne indien

La danse de SHIVA exprime les cinq activités divines :

- *la création continue du monde — du rythme de cette danse l'univers est né et se déploie ;*

- *l'équilibre de ce cosmos en mouvement incessant, qui ne peut être maintenu que par la mesure de la danse ;*

- *la destruction et la construction : les formes se détruisent pour que d'autres puissent naître sans fin ;*

- *la réincarnation : la danse de SHIVA montre le cheminement à travers des vies successives, jusqu'à ce que l'être dépasse les illusions d'existences limitées ;*

- *la libération qui est dans la réalisation de l'être qui prend soudain conscience de ce qu'il est de toute éternité : un instant de l'activité rythmique de SHIVA, le dieu dansant.*

La danse de SHIVA a pour thème l'activité cosmique. Cette illustration a été réalisée par le physicien Fritjof CAPRA pour son ouvrage ***Le Tao de la physique****. Elle représente la danse de SHIVA : le dieu apparaît ici sur fond de particules en mouvement.*

CHOUNN demande à TCHENG :

— *Le Principe peut-il être possédé ?*

— *Tu ne possèdes pas même ton corps,* dit TCHENG*; alors comment posséderais-tu le Principe ?*

— *Si moi je ne possède mon corps,* fit CHOUNN surpris, *alors à qui est-il ?*

— *Au Ciel et à la Terre, dont il est une parcelle, répondit TCHENG.* ***Ta vie est un atome de l'harmonie cosmique.***

Ta nature et son destin sont un atome de l'accord universel.

Tes enfants et les petits-enfants ne sont pas à toi.

Mais au grand Tout, dont ils sont des rejetons.

Tu marches sans savoir ce qui te pousse.

Tu t'arrêtes sans savoir ce qui te fixe.

Tu manges sans savoir comment tu assimiles.

Tout ce que tu es, est un effet de l'irrésistible émanation cosmique.

Alors que possèdes-tu ?

LIE-TZEU

le corps, véhicule de l'Esprit

«*Sache que ne peut être anéanti ce qui pénètre le corps tout entier. Nul ne peut détruire l'âme impérissable.*»

BHAGAVAD-GITA,
chap. 2, verset 12

La question est finalement de savoir où se loge l'Esprit?

La réponse, la pensée traditionnelle l'enseigne depuis toujours: dans la Matière elle-même.

Qui suis-je? Le physicien/philosophe Jean E. CHARON répond: ... «***un Esprit formé par le groupement de l'Esprit individuel des milliards de cellules qui forment mon corps.***»

«Le moment est venu de se rendre compte qu'une interprétation, même positiviste, de l'Univers doit, pour être satisfaisante, couvrir le dedans aussi bien que le dehors des choses — l'Esprit autant que la Matière. La vraie Physique est celle qui parviendra, quelque jour, à intégrer l'Homme total dans une représentation cohérente du monde.»

Pierre Teilhard de CHARDIN, ***Le phénomène humain*** (Seuil).

Les électrons « *intelligents* » ou l'Esprit dans la Matière

(selon le physicien/philosophe Jean E. CHARON)

> « ... *j'ai pu enfin montrer que, pour rendre compte de manière complète et satisfaisante de la structure et des propriétés de certaines particules élémentaires, il est nécessaire de faire intervenir un espace-temps particulier, présentant toutes les caractéristiques d'un espace-temps* ***de l'Esprit****, côtoyant celui de la matière brute.* »
>
> Jean E. CHARON, ***L'esprit, cet inconnu*** (Albin Michel).

Le physicien/philosophe Jean E. CHARON est l'un des scientifiques qui s'interrogent sur la nature de l'Énergie.

En 1959, il s'oriente vers la Physique fondamentale : il se consacre désormais à prolonger les idées d'EINSTEIN, en recherchant une théorie unitaire englobant la description de tous les phénomènes physiques.

Ses recherches l'ont conduit à une fantastique découverte : au niveau subatomique, les **électrons** qui constituent notre corps enferment un espace et un temps différents de ceux auxquels nous sommes habitués.

Dans l'espace-temps de nos électrons, l'ordre et la mémoire des événements passés s'enrichissent sans cesse.

Et dans chaque électron de notre corps, c'est notre esprit **entier** qui est contenu. Comme dans chaque partie de l'image d'un hologramme, on trouve en plus petit l'image entière.

Ces véhicules de l'Esprit dans la Matière, ces individualités microscopiques qui portent l'Esprit dans l'Univers, le Professeur CHARON propose de les appeler les ***éons***, à la suite des anciens gnostiques pour qui les éons représentaient l'Esprit émané de l'intelligence universelle.

> « *Ce ne sont pas les éons qui "pilotent" mon propre esprit.* ***"Je" suis ces éons eux-mêmes****, en ce sens que dans chacun des éons qui entrent dans mon corps est ce que je nomme mon "Je", c'est-à-dire ma personne.* »

D'autres scientifiques, avec Arthur KOESTLER, ont adopté pour désigner les sous-unités porteuses de l'Esprit, le mot ***holon*** (du grec *holos: entier*), considéré comme la matériau indivisible constituant le matériau de base de la matière.

Mais le Professeur CHARON démontre que ces sous-unités sont en fait des particules que les physiciens étudient et pensent connaître depuis fort longtemps: les ***électrons***.

Aucun de ces chercheurs, à ma connaissance, n'a encore fait le rapprochement entre, d'une part, ces ***éons/holons/électrons*** et ce que, d'autre part, l'enseignement hindou avancé désigne sous le nom de ***parmanoos*** que cette philosophie définit précisément comme les unités de base, ou les sous-unités de la matière, à l'intérieur de l'atome, c'est-à-dire comme les particules de l'Esprit dans la Matière.*

Noos ou ***noûs*** signifie «*esprit*»: on pense à la ***noosphère*** de TEILHARD de CHARDIN, considérée comme une enveloppe spirituelle.

Le mot sanscrit ***parma*** a le sens de *au-delà* de *plus haut*, de *suprême*.

Parmanoos: l'Esprit suprême.

* On trouve une excellente description des ***parmanoos*** dans un ouvrage de Swami SHYAM, un maître spirituel qui est aussi un spécialiste des écritures de l'Inde ***Science of Raj-Yog*** (Institut de méditation international, Montréal).

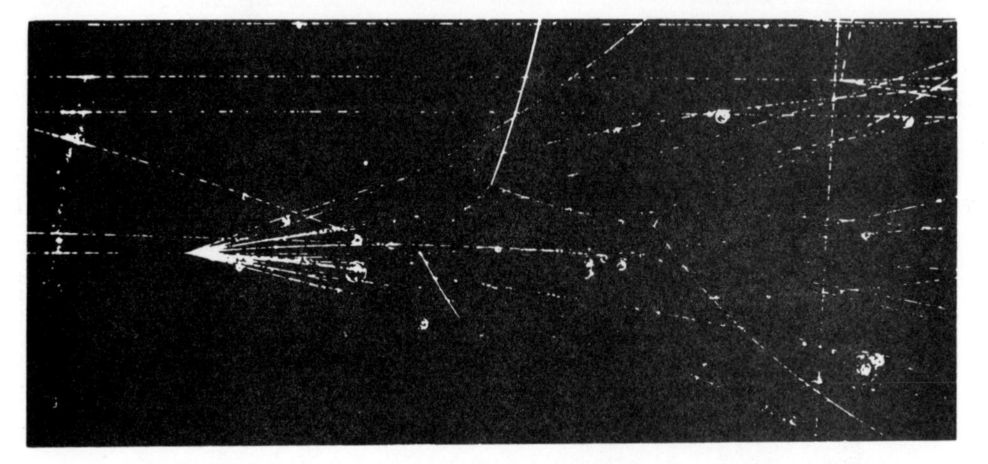

Création de seize particules par une collision pion/proton.

J'ai été étonné de découvrir l'existence, dans la pensée hindoue, de ce qu'on appelle les ***parmanoos*** et de constater que ces unités ou sous-unités paraissent correspondre à ce que des scientifiques appellent, selon les Écoles, ***holons*** ou ***éons*** — que le Professeur CHARON croit être tout simplement les ***électrons***. Mon étonnement vient de ce qu'on nous a enseigné que les Anciens considéraient que l'unité fondamentale était l'atome — du grec *atomos : qu'on ne peut couper*. Cette particule était donc regardée comme indivisible par les atomistes grecs. Mais la science moderne a bien démontré — la menace nucléaire en témoigne — que l'atome est physiquement décomposable...

Or, voici qu'une pensée encore plus ancienne nous parle de l'existence de ***parmanoos***, de particules de l'Esprit, comme de sous-unités de l'atome.

Il a sans doute existé à un moment un savoir dont la tradition occidentale se serait coupé et avec lequel nous renouons, plusieurs millénaires plus tard, par la voie scientifique.

Au début du siècle, vivait en France un des plus grands médiums de notre époque : Jeanne LAVAL.

Médium de transe profonde, elle recevait de l'au-delà des messages qu'elle transcrivait par écriture automatique.

La somme d'informations est imposante : le meilleur de ces informations compose un ouvrage de plus de 1 000 pages, et d'une grande qualité.

À la question : *qui est Dieu ?*, l'un des communiquants répond :

« *Le total formidable des forces et des attractions, le résultat définitif de toutes les équations, l'axe prodigieux des ellipses éternelles. Il est aussi l'**électron monstrueux**, aux deux pôles actifs, capables de réaction l'un sur l'autre, produisant ainsi la Création.* »

Plus loin, il parle : « *d'un électron complet, ayant le pouvoir de faire réagir son pôle positif sur son pôle négatif...* »

Ou encore : « *Dans l'électron Dieu, la différence entre les pôles est constituée par l'Éternité, aussi la puissance dégagée, lors de l'émission, est-elle infinie autant qu'irrésistible et la création tout entière est bien la photographie inverse de l'Émission Dieu.* »

« Reprends ton électron après qu'il a produit des combinaisons diverses et inverses, tu le verras attirer à lui et fondre à nouveau, dans sa force, les combinaisons les plus étranges pour les émettre encore en les combinant diversement et ceci inlassablement. »

Il parle aussi du « *travail complet des électrons* » et de ce qu'il appelle « *l'électron Dieu.* »*

— « *Le principe divin est dans l'atome et c'est lui qui explique tout. (...) Pasteur, Hugo, Kant, Raphaël, la science, la poésie, l'art, tout cela est dans la matière en germe.*

— « *Sans qu'il soit besoin d'apports venus d'ailleurs ?* lui demande-t-on.

— « *Pas le moins du monde,* ***l'évolution explique tout.*** »

SYMBOLE *in* Jeanne LAVAL, ***L'Heure des révélations*** (Éditions de Mortagne).

* Je rappelle que ces communications ont eu lieu au début du siècle. Les informations transmises étaient très en avance sur la pensée scientifique du temps. Je trouve, par exemple, les informations suivantes :

« ***L'atome d'hydrogène cache bien des secrets et des volcans énergétiques.*** »

« ***Il est parfaitement réductible sous les bombardements électroniques créateurs de transmutations. L'hélium, l'uranium sont des marteaux d'orages et de foudres aux effets incalculables...*** »

> «*De toi, de ton "Je", tes éons se souviendront toute leur vie, ils l'emporteront avec eux dans leur vie future, après que les autres hommes te déclareront "mort". Et cette vie future des éons sera très longue, pratiquement aussi longue que celle de l'Univers lui-même, une vie éternelle.*»

Comme ces éons possèdent, en accord avec la Physique, une vie pratiquement éternelle, dans le passé comme dans le futur, notre esprit lui aussi, c'est-à-dire chacun de nous, a pratiquement toujours été, est et sera pratiquement toujours présent dans l'Univers.

Autrement dit, mon «Je», ma conscience individuelle, ne finit pas avec ma mort corporelle, mais doit au contraire partager l'aventure spirituelle de l'Univers jusqu'à la fin des temps.

Ce qui ne va pas sans une forme ou une autre de «réincarnation» — même si nous devons, dans le présent contexte, employer le mot entre guillemets, afin d'échapper à tout le folklore attaché à la théorie réincarnationniste.

À vrai dire, c'est moins de *réincarnation* dont il s'agit ici que de *métempsychose* — un concept beaucoup plus vaste.

La métempsychose est aussi appelée la *transmigration des âmes*. Quoique le pluriel ici ne me paraisse pas convenir. Il s'agit, en fait, de l'évolution de l'âme universelle, qui va à travers l'expérience au plan matériel, de l'inconscience à la conscience...

Parlant de l'évolution de l'âme, HÉRODOTE écrit: «*Lorsqu'elle a parcouru tous les animaux de la terre et de la mer et tous les oiseaux, elle rentre dans son corps humain; le circuit s'accomplit en trois mille ans.*» (3 + 000 = 3 × 3 = 9 = *fin du cycle;* autrement dit, selon l'interprétation ésotérique des Nombres, le voyage au plan matériel se termine lorsque suffisamment d'informations/expériences ont été accumulées et que la boucle se trouve pour ainsi dire bouclée.)

« Cela entraîne la "réincarnation" des électrons dans des existences successives de personnages "temporels", qui ne sont eux-mêmes rien d'autre que des sociétés d'éons capables d'échanger dans les meilleures conditions Connaissance et Amour. »

De machine en machine, d'échange en échange avec des êtres pensants proches ou lointains, dans le temps comme dans l'espace, les éons accroissent ainsi en qualité et en quantité leur richesse informationnelle.

Les véhicules que constituent une société d'éons sont donc de plus en plus élevés, c'est-à-dire d'un niveau de conscience toujours plus grand. Ce qui suppose qu'il existe une hiérarchie : des véhicules moins élevés, d'autres plus élevés...

Ici encore, la pensée scientifique la plus avancée recoupe l'enseignement mystique le plus ancien :

cette hiérarchie, on la trouve dans la grille des règnes qui, pour simpliste qu'elle puisse paraître, n'en recouvre pas moins la vie physique dans ses diverses manifestations.

« Toute "machine", qu'on la nomme minéral, végétal, animal ou humain dans notre langage d'Homme, est une telle société d'éons. »

La pensée est partout présente dans l'Univers, aussi bien dans le minéral, le végétal ou l'animal que dans l'Homme. Les scientifiques qui participent du mouvement qu'on appelle la Gnose de Princeton, estiment que ***l'Univers est, dans ses parties et dans son ensemble, conscient de lui-même***.

« Donc la conscience est la réalité. Quand cette conscience pure est associée à des *upâdhis* ***(conditionnements artificiels), vous parlez de conscience de soi, de non-conscience, d'inconscience, de subconscience, de super-conscience, de conscience de chien, de conscience d'arbre, etc. Le dénominateur commun et inaltérable de tous ces facteurs, c'est la pure conscience. »***

RAMANA MAHARSHI

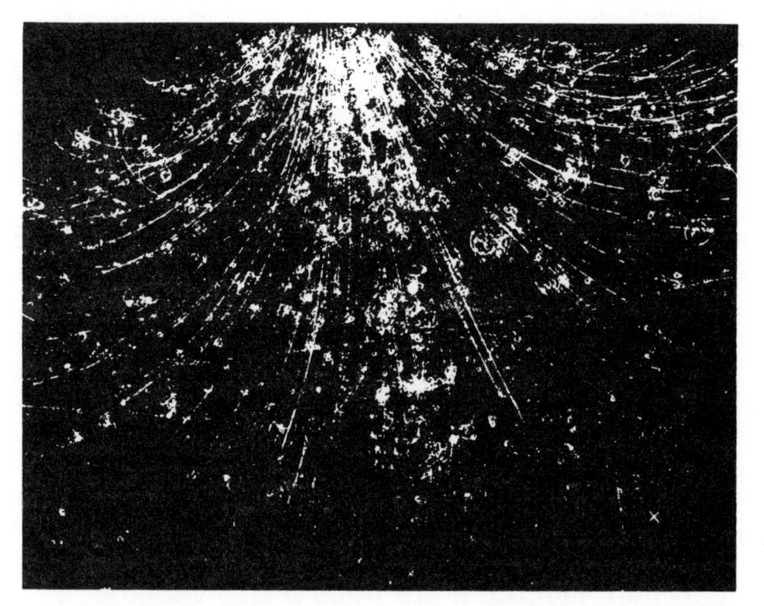

Douche d'une centaine de particules produite par un rayon cosmique.

C'est l'Univers qui est spirituel.

L'Homme participe de l'Esprit de l'Univers.

Mais l'Esprit n'est pas le propre de l'Homme. En ce sens qu'il est répandu dans l'ensemble de l'Univers et porté par les électrons qui entrent dans la composition de toute matière.

Dans son hypothèse, le physicien/philosophe CHARON ne conteste pas que l'Homme possède de l'Esprit; il prétend au contraire que l'Homme possède un Esprit beaucoup plus riche que celui qui apparaît dans ses actes et ses pensées **conscients**.

« *Ce que nous contestons*, écrit CHARON dans ***Mort, voici ta défaite***, *c'est que* **seul** *l'Homme soit un objet de la Nature porteur d'Esprit, car au contraire "ça pense" dans tout l'Univers, partout et en tout temps; je ne dirais pas "la rose pense", ou: "la souris pense", mais plus correctement: "ça pense dans la rose", et: "ça pense dans la souris". Mais quelle preuve a-t-on, dira-t-on, que "ça pense dans la rose"? Eh bien, pour le voir, il suffit de prendre un pétale d'un bourgeon de rose et d'examiner, au microscope, comment s'opère la duplication des cellules de la rose: on verra bien que "ça bouge", que "ça fait des choses très compliquées"; les actes de la cellule de la rose, même à ce grossier niveau d'observation, sont déjà si complexes et si "sophistiqués" que notre pauvre Esprit conscient humain a bien du mal à les décrire, et* ***a fortiori*** *à en tenter une explication cohérente.* »

Pour chercher à comprendre l'évolution, il faut se dire qu'elle est celle de ***l'aventure spirituelle des éons*** et non pas celle des « machines » créées par ces éons — fut-ce même de l'Homme.

Le « Je » que je suis est éternel. Les éons qui constituent ce « Je » sont éternels. Ces éons ont pris d'autres formes dans le passé infini, d'autres véhicules : d'étape en étape, leur richesse informationnelle s'est accrue — autrement dit, ces éons se sont enrichis de ces expériences diverses.

Mais le « Je » que je suis présentement n'est encore qu'une étape : les éons qui sont ce « Je » vont emprunter d'autres formes, devenir d'autres machines, d'autres véhicules, dans l'avenir infini.

Nous vivons une époque, difficile sans doute par certains aspects, mais aussi ô combien stimulante et « tripative », où la conscience de la participation de l'individu à l'Univers, de la participation de chacun d'entre nous à l'Univers, débouche sur l'infini.

« ***Quand je cherche à scruter ce "Je" qui est le mien, dans son immense passé historique, je le découvre participant au feu des premières étoiles, rampant sur le sable humide des plages pré-cambriennes, courant entre les fougères géantes des forêts du Paléozoïque, nageant dans les eaux tièdes du Jurassique inférieur, volant dans l'azur d'un ciel du Crétacé. Mais je l'imagine aussi, dans le futur, comme un être encore inconnu, voguant parmi les étoiles, parlant un langage que comprendra le nuage noir ou le vent solaire, transporté toujours plus haut et plus loin par la Connaissance, assoiffé de toujours plus d'Amour pour l'autre.*** »*

* Le lecteur qui voudrait se familiariser davantage avec la pensée du physicien/philosophe Jean E. CHARON, pourrait lire sa ***Théorie de la Relativité complexe***, un ouvrage scientifique, ou encore ***L'Esprit, cet inconnu*** et ***Mort, voici ta défaite***, ouvrages d'un accès plus facile d'où j'ai tiré les citations qu'on trouve dans ces pages (chez Albin Michel).

« Dès l'instant où tu vins en ce monde de l'existence,
Une échelle fut placée devant toi pour te permettre de t'enfuir.
D'abord, tu fus minéral, puis tu devins plante;
Ensuite, tu devins animal : comment l'ignorerais-tu,
Puis tu fus fait homme, doué de connaissance, de raison, de foi;
Considère ce corps tiré de la poussière : quelle perfection il a acquise!
Quand tu auras transcendé la condition de l'homme, tu deviendras, sans nul doute, un ange,
Alors, tu en auras fini avec la terre ; ta demeure sera le ciel.
Dépasse même la condition angélique; pénètre dans cet océan,
Afin que ta goutte d'eau puisse devenir une mer. »

RÛMÎ, *Odes mystiques.*

exercice :

La matière est faite d'atomes.

Ce sont les atomes qui composent la pierre, la fleur, l'animal et l'Homme.

Chaque atome comporte un noyau et des électrons plus ou moins nombreux qui tournent autour de lui — comme les planètes tournent autour du soleil.

L'électron est une particule *simple* — on ne peut pas la briser en particules plus petites.

Le noyau lui-même est composé de nucléons.

Il en existe deux types : le proton à charge positive et le neutron, qui est électriquement neutre.

Le proton, lui, peut être *brisé* : on obtient alors parmi les morceaux, un neutron et un positron.

Le positron est la même particule que l'électron, mais sa charge électrique est inversée — donc un électron positif.

Le neutron aussi peut être *brisé* : les morceaux contiennent, entre autres, un positron et un électron.

On retrouve ici les trois fils de tout raccord électrique complet : le négatif, le positif et le neutre.

Ce sont les éléments qui entrent dans la composition de toute la matière.

Or, les électrons ont une durée pratiquement éternelle — de milliards d'années.

« Je » suis constitué de ces matériaux.

« Je » suis riche de toute expérience de l'Univers.

« Je » suis, à toute fin pratique, éternelle.

Pour la Sagesse traditionnelle, cette énergie qui est comme l'âme de la matière, sans laquelle il n'y aurait pas de matière, se manifeste donc à plusieurs niveaux : ce sont divers états de la même chose. Comme l'eau, la glace et la vapeur sont divers états de la même chose.

Les particules qui ont traversé l'expérience du minéral poursuivent leur processus de perfectionnement : elles s'incarnent, si on peut dire, au niveau végétal et ainsi de suite.

Autrement dit, l'âme végétale est l'aboutissement de l'âme minérale ; l'âme animale, l'aboutissement de l'âme végétale... De sorte qu'on peut dire que le végétal est riche de l'expérience minérale, les particules conservant le «*souvenir*», ou plutôt l'information acquise à l'étape minérale. Que l'animal est riche de l'expérience minérale et végétale. Et l'homme, de l'expérience de tous les autres règnes...

Chaque forme tend vers un dépassement d'elle-même. Les particules qui composent la matière, traversent ainsi des milliards de petites morts et de petites naissances, alors qu'elles acquièrent de l'**information** en vue de leur **formation** à travers leurs multiples **transformations**.

Ce qui revient à dire que les particules organisées selon la structure qui est *moi*, ne sont jamais nées et ne mourront jamais. Je suis moi-même en transformation — car toutes les particules qui me composent obéissent à la loi de la transformation.

Jusqu'à l'étape qui est *moi*, « mes » particules se sont organisées en fonction de structures de plus en plus évoluées, progressant par accumulation pour finir par constituer, à un moment de cette longue évolution, une structure assez complexe pour véhiculer l'**individualité**.

Qui se manifeste à la faveur de structures suffisamment complexes, constituées de particules suffisamment informées.

L'homme est l'aboutissement de l'évolution de la matière, — au niveau que représente la planète Terre.

C'est en cela que nous sommes les rois de la création.

Et non pas par la domination que nous pouvons exercer sur la nature.

Nous participons tous de la matière à toutes les étapes de son évolution.

Je suis fait de minéral, de végétal et d'animal.

Je suis riche de l'expérience accumulée au cours de cette prodigieuse évolution de la matière.

Je suis effectivement un microcosme de l'univers : un petit univers en soi...

Je suis composé de la même matière que les étoiles.

Et les particules qui sont *moi*, ont participé à l'effondrement et la reconstruction de nombreux univers ; à la collision de galaxies, à l'explosion d'étoiles ;

plus près de nous, à la soupe originelle d'où sont sorties toutes les formes de vie sur cette planète ;

à toutes les expériences de l'évolution sur cette planète ; à tous les règnes — à travers une infinité de transformations...

Dans les particules qui sont *moi*, je suis plus vieux que l'univers ; je suis plus vieux que tous les univers avant celui-ci ; je suis aussi vieux que BRAHMA — pour la raison que je suis BRAHMA :

car je ne suis pas né et je ne mourrai pas.

Mais je participe en même temps du processus de transformation de l'énergie évolutive.

Je suis l'enfant de l'énergie évolutive ; je suis l'enfant de la **MATER MATERIA.**

« Notre politique est un Mode de Vie. Nous pensons que toutes les choses vivantes sont des êtres spirituels. Les esprits peuvent s'exprimer sous forme d'énergie traduite en matière. Un brin d'herbe est une forme d'énergie qui se manifeste en matière: la matière herbe. L'esprit de l'herbe est cette force invisible qui produit les espèces d'herbe, et elle se manifeste à nous sous la forme d'herbe réelle. »

Voix Indiennes, *Le message des Indiens d'Amérique au monde occidental* (Les formes du secret).

« La voie ne consiste pas à accomplir des actions admirables, la voie consiste à accomplir de façon admirable les actions ordinaires. »

Arnaud DESJARDINS, ***À la recherche du moi*** (la Table ronde).

Nous sommes de la matière.

Et nous sommes dans la matière.

Et c'est ici, au plan matériel, que nous devons vivre.

Au plan relatif.

Dans le quotidien.

C'est l'aspect de l'Enseignement dont on aime le moins parler.

On préfère se gargariser de mots, de concepts, de principes.

Plutôt que d'insister sur la façon de vivre, sur les détails du quotidien.

C'est pourtant là que ça fait le plus mal: dans le quotidien.

Ici/maintenant passe nécessairement par le quotidien.

Il n'y a pas de petits détails.

Il n'est pas possible de progresser si on ne met pas d'ordre dans le quotidien.

L'incohérence ne débouche pas sur la liberté intérieure.

Il faut être vigilant.

Afin d'économiser son énergie.

« *En vérité*, écrit encore Arnaud DESJARDINS, *non seulement il ne faut pas être fatigué à longueur de journée, mais il faut avoir beaucoup d'énergie à sa disposition.* »

Il faut, en particulier, diminuer le gaspillage d'énergie.

C'est une loi de la cybernétique:

parvenir à ce que le minimum d'énergie, au niveau de l'**input** produise le maximum d'efficacité, au niveau de l'**output**.

« Celui qui n'est pas sérieux et actif dans le domaine matériel ne le sera pas dans le domaine spirituel. »

Bahram ELAHI, ***La Voie de la Perfection*** *(l'enseignement secret d'un maître kurde en Iran)* (Seghers).

Maintenant, à l'étape de l'évolution où nous sommes parvenus,

au niveau de conscience où nous sommes,

nous devons participer consciemment de ce processus évolutif.

L'homme a maintenant le pouvoir de détruire son environnement et de se détruire avec lui.

Il doit maintenant prendre en mains le monde de la matière.

Cela fait désormais partie de son travail sur lui-même.

Sa tâche est de veiller sur cette évolution.

De protéger la vie minérale, la vie végétale, la vie animale — dont il participe : il ne peut pas s'en extraire, pas plus du reste qu'il peut l'extraire de lui.

Sa propre évolution prend appui sur le processus dont il est l'aboutissement — à l'étape où nous sommes parvenus sur la planète Terre.

L'homme sera sans doute appelé dans les années qui viennent à opérer sur lui-même une véritable mutation pour atteindre à un niveau de conscience encore plus élevé,

augmenter sa participation consciente à l'univers,

devenir l'homme cosmique.

Mais cela suppose qu'il prenne d'abord la planète en charge :

la vie minérale, la vie végétale et la vie animale.

Qu'il intervienne consciemment dans le processus évolutif.

Il est solidaire du moindre caillou, du plus discret perce-neige, comme du plus humble crapaud.

Il participe de la même force vitale,

de la même énergie évolutive,

de la même Conscience

— car, tout ce qui est du plan matériel, vient de la même Mère.

Les matérialistes m'étonnent. Qu'ils soient capitalistes ou socialistes. Ils m'inquiètent et me troublent.

Ils paraissent n'avoir, en effet, aucun respect pour la matière.

Les bulldozers des capitalistes, aussi redoutables que des tanks, s'enfoncent dans les forêts qu'ils rasent;

les navires-usines des socialistes pompent des bancs entiers de poissons, bouleversant pour longtemps, détruisant même parfois l'équilibre des fonds marins.

De part et d'autre, on bouscule l'éco-système, sans se soucier de *la suite du monde*.

Les matérialistes ont une explication de l'univers qui repose sur la matière;

pourtant, ils l'exploitent, la détruisent, l'anéantissent.

« *Car notre civilisation "matérialiste", bien mal nommée, devrait avant tout cultiver l'amour de ce qui est matériel, de la terre, de l'air et de l'eau, des montagnes et des forêts, de la bonne nourriture, de l'habitat et des vêtements pleins de fantaisie, et des contacts tendres et habilement érotiques entre les corps humains.* »

Alain WATTS, ***Matière à réflexion*** (Médiations).

« ***L'observateur et le spectacle sont le Soi.*** »

RAMANA MAHARSHI

Il y a des degrés d'expérience pour celui qui cherche.

Mais la réalité, elle, ne comporte aucun degré.

L'expérience vers laquelle l'être doit tendre est celle que la Pensée traditionnelle appelle la ***Réalisation***.

La conscience individuelle s'élève alors pour atteindre le niveau le plus élevé où elle prend, pour ainsi dire, conscience d'elle-même : l'être découvre qu'il est le SOI.

Pendant un moment, il a cessé de s'identifier au Moi pour s'identifier au SOI — qui est son essence.

Mais, contrairement à ce que l'on croit, la démarche ne s'arrête pas là.

Après avoir fait l'apprentissage de ce niveau de conscience, c'est-à-dire être parvenu à y *retourner* plus ou moins à volonté et à y *séjourner* plus ou moins longtemps, il reste à la conscience à apprendre à descendre de degré, tout en demeurant identifiée au SOI.

Et c'est alors que l'être réalisé découvre qu'en fait **tout participe du SOI**.

Que la Matière n'est *essentiellement* pas différente de la Conscience.

RAMANA MAHARSHI dit :

« *En vérité, après la réalisation, le corps et tout le reste n'apparaissent pas différents du SOI.* »*

On lui pose une question :

— « *Le monde est matérialiste. Comment y remédier ?* »

Il répond :

— « *Matérialiste ? Spirituel ? Tout dépend de votre point de vue.* »

J'ai effectué un collage de quelques-unes des interventions de ce grand Maître sur cette question (*in* ***L'enseignement de Ramana Maharshi***, Éditions Albin Michel).

« En fait, il n'y a pas de non-SOI. Il n'existe que par rapport au SOI et dans le SOI, c'est le SOI qui parle du non-SOI, lorsqu'il s'est oublié lui-même. Ayant perdu son empire, il conçoit les objets comme étant le non-SOI, alors qu'en fait, rien ne lui est étranger. »

Cette fois, c'est le Maître qui pose une question au disciple qui fait une différence entre l'Esprit et la Matière :

— *« Comment parvenez-vous à différencier l'Esprit de la Matière ?*

— *« L'Esprit est conscient, la Matière ne l'est pas, »* répond le disciple.

Le Maître :

— *« Pensez-vous vraiment que la conscience de l'Esprit puisse engendrer la non-conscience de la Matière, ou la lumière engendrer les ténèbres ? »*

Plus loin :

« Par conséquent, Dieu est non seulement au cœur de tout être et de toute chose, Il est le soutien de toute la création. Il est la source de tout, le maintien de tout et la disparition de tout. Il ne peut donc être séparé. »

La Matière n'est donc pas séparée. Elle est l'œuvre de la partie femelle de Dieu, de la SHAKTI : *« L'un des résultats de l'activité de celle-ci,* explique le Maître, *c'est la manifestation du cosmos... »*

Enfin, à propos de la Réalisation :

« Lorsque la vérité est réalisée, on découvre que l'Univers et ce qui est au-delà sont tous deux dans le SOI. L'aspect des choses varie selon la perspective. C'est de l'œil que vient la vue. Et l'œil doit se situer quelque part. Si vous voyez avec les yeux du monde ordinaire, le monde aura la même nature ; si vous regardez avec les yeux subtils, ceux du mental, le monde apparaîtra subtil. Et si votre œil devient le SOI, l'œil sera infini, puisque le SOI est lui-même infini. Il n'y a rien d'autre à voir, rien qui soit différent du SOI. »

Ainsi donc, l'Esprit, autrement dit le divin, est caché dans la Matière.

Tel est le secret de la Matière.

La Matière accouche de l'Esprit.

Comme la Mère accouche du Fils.

Ainsi donc, l'Esprit, autrement dit, le divin, est caché dans l'Homme lui-même.

Et c'est en vain qu'il cherche le divin en dehors de lui.

Fut un temps où les hommes étaient des dieux. Mais ils abusèrent de leur divinité. BRAHMA, qui était le Maître des dieux, décida alors de retirer aux hommes leur divinité et de la cacher en un lieu où il serait pour ainsi dire impossible aux hommes de la retrouver.

Mais la cacher où ?

Les dieux furent donc convoqués en conseil pour résoudre ce problème.

— « Enterrons la divinité de l'homme dans la terre », suggéra l'un d'eux.

BRAHMA répondit :

— « Non, car l'homme finira par creuser et la trouver... »

— « Dans ce cas, dit un autre, cachons-la au plus profond d'un océan. »

— « Non plus, tôt ou tard, l'homme explorera les profondeurs des océans et finira par retrouver sa divinité et la remonter à la surface... »

La recherche se poursuit.

Au bout d'un moment, les dieux sont fort perplexes. Il ne semble exister aucun lieu ni sur terre, ni dans la mer, ni même dans le ciel, où cacher la divinité de l'homme qu'il ne puisse un jour atteindre.

C'est alors que BRAHMA dit :

— « Je crois que j'ai trouvé... La divinité de l'homme, nous allons la cacher en lui-même :

***c'est le seul endroit où il ne pensera jamais à chercher.** »*

Depuis, conclut la légende, l'homme a fait le tour de la terre, il a exploré, escaladé, plongé et creusé, à la recherche de quelque chose qui est en lui.

(D'après une légende hindoue.)

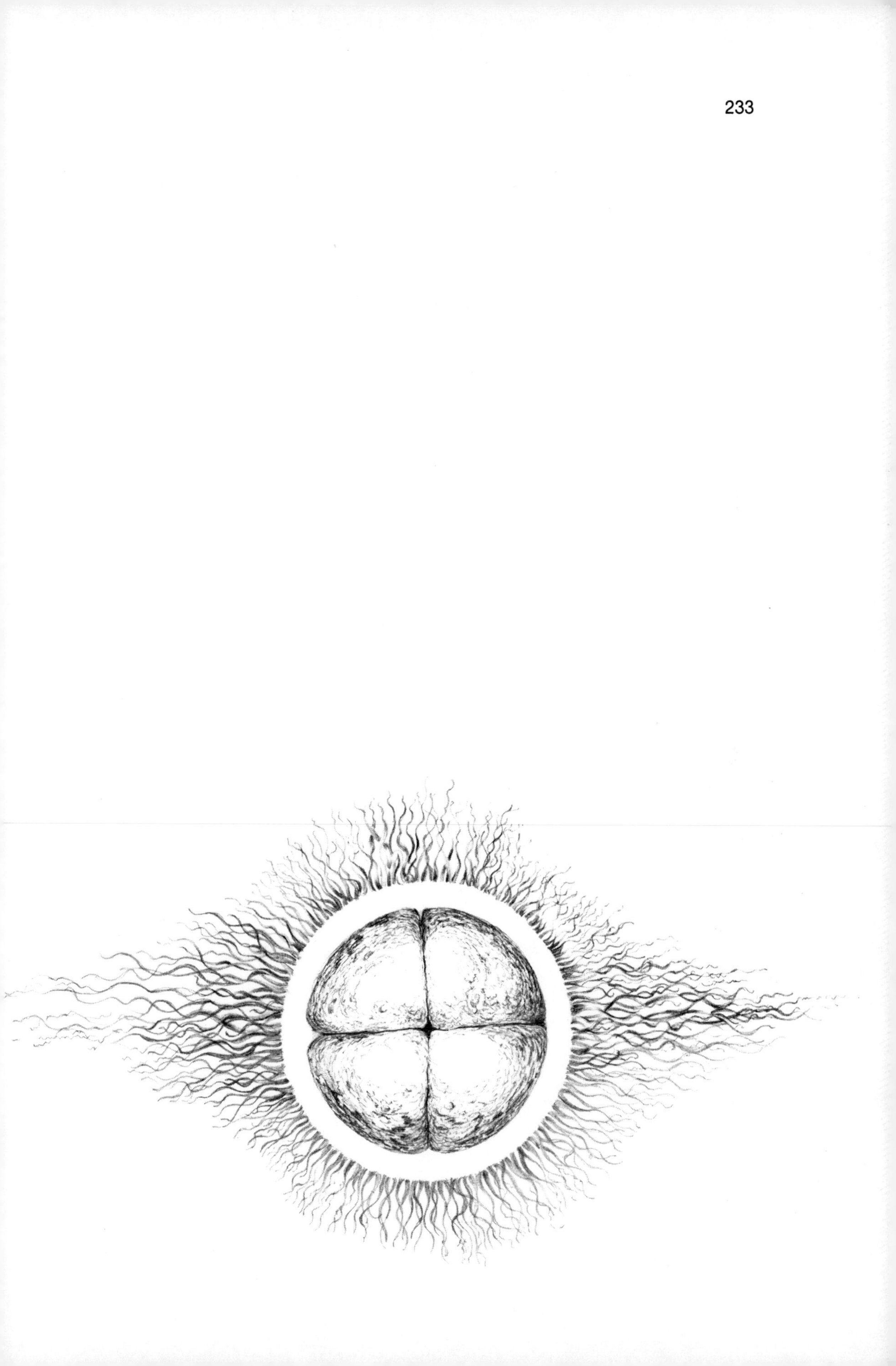

finale

*Je n'ai pas écrit: conclusion, mais **finale***

Parce qu'il n'y a pas de conclusion. La démarche dont témoigne ce livre attire de plus en plus de jeunes — et de moins jeunes aussi qui ne sont pas encore sclérosés.

La prochaine étape dépend d'eux.

Il s'agit de mettre la femme au centre, sans l'enfermer, et d'inventer à partir d'elle une nouvelle civilisation.

Je suis conscient en écrivant cela qu'il y a dans le monde quelque 500 millions d'êtres humains au bord de la famine et que, l'an dernier, le budget des armements dépassait les $450 milliards.

Je suis conscient que l'avenir immédiat n'est pas rose.

Je vois venir, avec les guerres, les cataclysmes naturels. Comme plusieurs, je suppose que c'est la fin de l'Ère du ***Kali-Yuga****.*

Selon la Pensée traditionnelle, nous serions maintenant dans la dernière phase d'un cycle, la phase la plus courte mais la plus redoutable : celle du matérialisme exacerbé qui doit éclater pour permettre à un nouveau cycle de succéder au chaos général qu'on appelle ***kali-yuga****.*

Mais au-delà des apparences, il n'y a jamais de rupture brusque :

au moment où la crise n'a pas encore atteint son paroxysme, une nouvelle civilisation se prépare.

Dans le marasme actuel, c'est dans ce camp qu'il faut se retrouver.

Parmi ceux qui, sans se faire trop d'illusions, veulent contribuer à la naissance de l'Homme Nouveau.

Quant à moi, si je croyais qu'il y a autre chose à faire sur terre, je le ferais peut-être.

Mais je ne vois rien d'autre à faire.

Que le ***travail sur soi****.*

Et le ***service****.*

Que ceux qui, à tous les échelons, ont accepté des responsabilités les prennent.

Que ceux dont le rayon d'action est plus modeste réfléchissent à l'importance des micro-choix *: de ces petits choix qui sont faits par chacun de nous, ou qui devraient l'être, jour après jour.*

Nous aurons tous des comptes à rendre.

Pour le reste, les Maîtres nous disent que dans cette période difficile, il faut surtout mettre l'accent sur la **sadhana** *— ce sont les moyens que chacun prend pour cheminer consciemment sur la Voie.*

Nous sommes tous sur la Voie.

Il n'y a que la Voie.

Certains cheminent sans le savoir.

D'autres sont conscients de cheminer sur la Voie.

Et prennent des moyens, recourent à des techniques, à des pratiques diverses et jusqu'au service. L'ensemble de ces moyens est la **sadhana**.

Dans cette période difficile, il faut donc augmenter la **sadhana** *:*

investir encore davantage de soi-même dans la **sadhana**.

Il n'y a pas de conclusion; il n'y a jamais rien d'immuable; il n'y a toujours que la transformation.

Mais je sais que cette nouvelle civilisation devra mettre l'accent sur le principe féminin.

Cela dit, j'ai peu à communiquer sur la façon dont ça doit se faire.

Par ailleurs, ma démarche ne s'inspire pas de la logique et ce livre-mosaïque me paraît une expérience (à l'écriture du moins; quant à la lecture, je n'en sais rien) qui relève davantage de l'hémisphère droit qui gouverne l'être de gauche — au sens de réceptif, d'intuitif, de féminin. Tout cela me paraît en effet comme une expérience spatio-temporelle: de la musique dans l'espace peut-être, d'où le mot **finale**.

Depuis les années soixante, plusieurs groupes se sont créés qui s'inspirent de l'Ancienne religion païenne de la Déesse-Mère. Le grand poète et mythologue anglais Robert GRAVES, auteur d'un important ouvrage sur la Déesse, ***The White Goddess***, déclarait dans une entrevue que plusieurs jeunes, nord-américains surtout, communiquent avec lui depuis la parution de son livre, pour lui dire l'intérêt que sa démarche — qui vise précisément à redécouvrir le principe féminin — les avait inspirés au point de former des groupes qui ré-inventent le culte de la Déesse en l'adaptant aux exigences de notre époque: l'accent est mis sur l'importance de vivre en harmonie avec la Nature et, plus particulièrement, sur les règles qui découlent d'une écologie individuelle et collective: par exemple, pour l'individu, celles d'une alimentation saine et/ou pour la collectivité un intérêt pour la technologie douce, la décentralisation, les énergies renouvelables.

Mais l'enseignement qu'on reçoit dans certains de ces groupes dépasse le phénomène du retour à la nature, recoupant même celui qui se dégage de ce qu'on appelle la Sagesse traditionnelle. Par exemple, dans les rituels de L'Église du Grand Tout, une secte insolite dont la fondation par deux étudiants de Westminster College (Missouri) a été inspirée par la lecture de ***Stranger in a Strange Land*** par Robert A. HEINLEIN, auteur de science-fiction bien connu, les membres s'abordent en prononçant la formule: ***Tu es Dieu***.*

* Chez les Quakers de même, on s'adresse toujours au SOI de l'autre; comme du reste, dans les grandes religions orientales.

Chaque être humain étant Dieu, les responsabilités de Dieu incombent à chacun. Je dois dire pour ma part que cette idée me fascine. Je crois que les êtres ont une responsabilité au plan matériel : chacun est d'abord responsable de lui-même, de sa propre vie. L'auto-gestion commence par soi-même.

Dans l'enseignement secret du Maître Kurde Bahram ELAHI, à propos des règles de la Voie, on peut lire : « ***L'École condamne absolument la mendicité, le vagabondage, le parasitisme, car cela est en contradiction avec la noblesse de l'âme.*** » ***La Voie de la Perfection***, (Seghers).

Il faudrait voir dans quel sens ces mots pourraient s'entendre à notre époque... Je crois pour ma part que, sauf exception, toute forme de dépendance est en contradiction avec la noblesse de l'âme... Même celle que l'on contracte à l'égard de l'État-Providence.

Et plus le niveau de conscience de l'être est élevé, plus grand est le rayon de sa responsabilité :

il est responsable des êtres qui l'entourent,

mais aussi des animaux, des arbres de la forêt...

Il doit aussi s'occuper du partage des produits de la Terre-Mère, de contribuer à ce que le partage soit plus équitable. Je pense en particulier à la nécessité d'aider les pays du Tiers-Monde à s'aider...

J'ai parlé de responsabilité et non pas de culpabilité.

Il ne sert à rien, en effet, d'éprouver un sentiment de culpabilité.

Être responsable, c'est prendre conscience et, dans la mesure de ses moyens, intervenir.

Mais de le faire tout en conservant si possible un certain recul par rapport à l'action.

L'objet n'est pas l'action, mais l'être lui-même.

L'action est un moyen d'intervenir dans sa propre vie.

Les causes sont nombreuses ces années-ci, autrement dit les moyens ne manquent pas.

Chacun travaille même toujours, pour ainsi dire, dans son propre intérêt.

Mais avec quelle cause fait-il coïncider son intérêt?

Autrement dit, à quelle cause s'identifie-t-il?

Tout est là.

Le choix qu'il fait détermine la qualité de l'être.

Le plan matériel n'est à vrai dire qu'un modèle, au sens de maquette, qui permet à l'être de travailler sur lui-même.

Je crois de plus en plus qu'on juge du niveau de conscience d'un être à la qualité de son sens de la responsabilité, vis-à-vis de lui-même d'abord, puis des autres et du monde en général.

La Résurrection de CORÉ.

«***Il ne dépend que de nous que le monde soit dévasté à mort ou que la gracieuse déesse (c'est-à-dire, ici, la biosphère terrestre) de notre planète atteigne à la pleine conscience de soi.***»

(Extrait de la brochure du groupe **Feraferia**, mouvement néo-païen établi à Posadena, en Californie, cité par Robert S. ELLWOOD Jr., *in* ***Religions and Spiritual Groups in Modern America***, (Englewood Cliffs, N.J. 1973).)

«La Feraferia tient que la vie religieuse devrait faire partie de l'interaction sensorielle entre la nature et la conscience érotique du sujet.

«La Feraferia se voit comme le précurseur d'une culture à venir dans laquelle, sous les espèces de la Vierge magique, l'archétype de la féminité sera rétabli au cœur de la religion et où l'humanité retrouvera le sens de la révérence dans ses rapports avec la nature et la vie.

«Pour informer l'aube Éco-psychique de l'Âge du Verseau, où la célébration déterminera la subsistance, réapparaît, depuis longtemps réprimée, une représentation de la divinité: la Vierge joyeuse, la Madone, Rima, Alice au pays des merveilles, la princesse Ozma, Julia, Lolita, Candy, Zazie dans le métro, Brigitte, Barbarella, Windy — assemblage incongru et grotesque à première vue — mais toutes annonciatrices de la Nymphette céleste. Elle seule peut établir une libre interaction entre les trois autres divinités anthropomorphiques de la Sainte Famille.

«Ce sont la Grande Mère, qui domina l'Ancien et le Nouvel Âge de la Pierre; le Grand Père, qui initia la Première Ère patriarcale; et le Fils, qui cristallisa la mentalité mégalopolitaine de la Dernière Ère patriarcale. C'est la Délicate Fille du Croissant d'Argent qui transmuera en un tout les travaux saturés du Père et du Fils au sein du Sol matériel de l'Existence, sans sacrifier les acquis valables de l'articulation virile. Et Elle accomplit cela sans imposer les images paralysantes de l'autorité parentale ou héroïque. Qu'il est donc charmant de la voir taquiner et titiller Père et Fils jusqu'à ce que, dignement naturels et exaltant la Vie, ils redeviennent des Dieux païens.»

Le symbole du groupe est la divinité grecque CORÉ, fille de DEMÈTER. Cette même CORÉ dont j'ai parlé plus haut, qui devait devenir la reine des Enfers, qui est en fait le plan physique, sous le nom de PERSÉPHONE.

L'initiation rituelle procure une identification avec la nature et avec CORÉ, la divine Vierge qui est la **matière**.

Je souligne en passant que **c'est la fille et non la mère** qui fut choisie comme divinité.

Cette interprétation de la **Feraferia** est séduisante : la fille apparaît, en effet, comme une heureuse synthèse du Fils et de la Mère.

Poussés par ce courant, nous avons donc opté, Liliane FORTIER et moi, pour une déesse jeune.

Mais il s'agit encore et toujours à mes yeux de la Déesse-Mère.

Je crois, quant à moi, que cette conception de la femme a de grosses racines qui s'enfoncent dans un lointain passé.

Les études faites sur les aborigènes australiens témoignent du caractère primitif de cette conception.

Mais le primitif en nous n'est pas mort.

Il est toujours vivant, — dans notre inconscient collectif où **toute femme est réellement ou potentiellement, j'ajouterais symboliquement, une mère de la communauté**; où **toute femme participe à la fonction du sexe féminin.**

Car, au centre du principe féminin, on trouve essentiellement la **fonction maternelle**. Plus précisément, la **fonction sociale du sexe féminin**.

Dans les sociétés primitives, toutes les femmes, quel que fut leur âge, se trouvaient réellement ou potentiellement les «*mères*» de la communauté.

Pour nous, une mère est une femme qui a mis un enfant au monde. Mais pour les aborigènes australiens, par exemple, une *mère* est une femme liée à la communauté par une certaine relation sociale, *qu'elle ait ou non donné naissance à l'un d'entre eux*.

Même une petite fille est une *mère* pour le groupe en ce qu'elle participe à la fonction sociale du sexe féminin.

Curieusement, on retrouve dans le langage populaire québécois l'expression **p'tite mère** *à propos de jeunes femmes. Aussi loin qu'on puisse remonter dans la nuit des temps, les hommes ont employé la même expression pour désigner des femmes de leur âge, parfois même plus jeunes. L'inconscient reconnaît sans hésitation la* **fonction maternelle du principe féminin**.

Comme chacun sait, il existe deux grands courants religieux: l'un met l'accent sur le principe féminin, l'autre sur le principe masculin.

J'irais plus loin: l'un met l'accent sur la Mère, l'autre sur le Fils — l'attente du Fils dans le Judaïsme ou le Fils, héros et sauveur, dans l'Islamisme et le Christianisme.

Lorsqu'on saisit bien cette opposition, on comprend mieux le véritable conflit qui existe entre les deux courants et la raison profonde qui empêche les religions patriarcales d'admettre les femmes à la prêtrise.

Cette raison, elle est d'ordre magique: il s'agit de savoir si, mythiquement parlant, le salut nous vient du Fils ou de la Mère.

C'est une option qui peut même entraîner une redéfinition de la civilisation.

Il n'y a pas de doute dans mon esprit que si les femmes étaient admises à la prêtrise dans l'ensemble des Églises chrétiennes, une vie nouvelle pénétrerait les structures décadentes de ces institutions fatiguées.

Mais dès lors, et sans qu'on s'en rende bien compte au début, le salut nous viendrait de la Mère.

Le **couple fondamental** est la Mère et le Fils.

Bien avant le Dr FREUD et son complexe d'Œdipe.

Dans la mythologie universelle, ce sont les deux grandes figures.

Dans la mythologie égyptienne, on trouve le couple ISIS-OSIRIS.

Mais OSIRIS, le mâle, a un double négatif: SETH.

SETH tue OSIRIS.

ISIS rassemble les morceaux épars d'OSIRIS afin de lui redonner vie.

Et c'est ainsi que celui qui fut son époux, devient alors HORUS, son fils.

L'épouse qui enfante le mari, qui le transforme, qui le *met au monde*, comme on dit... Et on se retrouve avec ce que j'appelle le couple fondamental: **la Mère et le Fils**.

Dans un film récent, les auteurs, en particulier Bernardo BERTOLUCCI, le réalisateur, ont osé aborder le sujet délicat d'une relation incestueuse entre une mère et son fils.

*Ce film, **LUNA**, qui me paraît mystique à son niveau d'interprétation le plus élevé, aura été pour moi l'occasion de découvrir jusqu'à quel point la fonction maternelle se trouve au centre du principe féminin.*

Les autres fonctions: celles de l'épouse, de la maîtresse, de l'amante, découlent de la fonction maternelle.

Et c'est ainsi que, dans ce cas extrême, pour sauver son enfant, cette mère, sans comprendre le mécanisme inconscient qui la pousse, devient en quelque sorte l'amante de son fils.

Afin de le rendre ultimement à son père — le modèle dont il a besoin;

autrement dit, afin de le rendre à lui-même. Elle aura donc été l'amante de son fils, afin de le compléter et ainsi d'achever son œuvre.

Autrement dit, de l'enfanter à nouveau.

« L'enfant des temps futurs sera gentil, aimable, naturellement et gaiement généreux. Ses mouvements seront harmonieux, sa voix mélodieuse. Dans ses yeux brillera une douce lumière, il posera sur le monde un regard profond et calme. La pression de ses mains est douce. Sa caresse est capable de provoquer chez l'autre le rayonnement de sa propre énergie vitale. »

Wilhelm REICH, ***Le meurtre du Christ***
(Éditions Champ Libre).

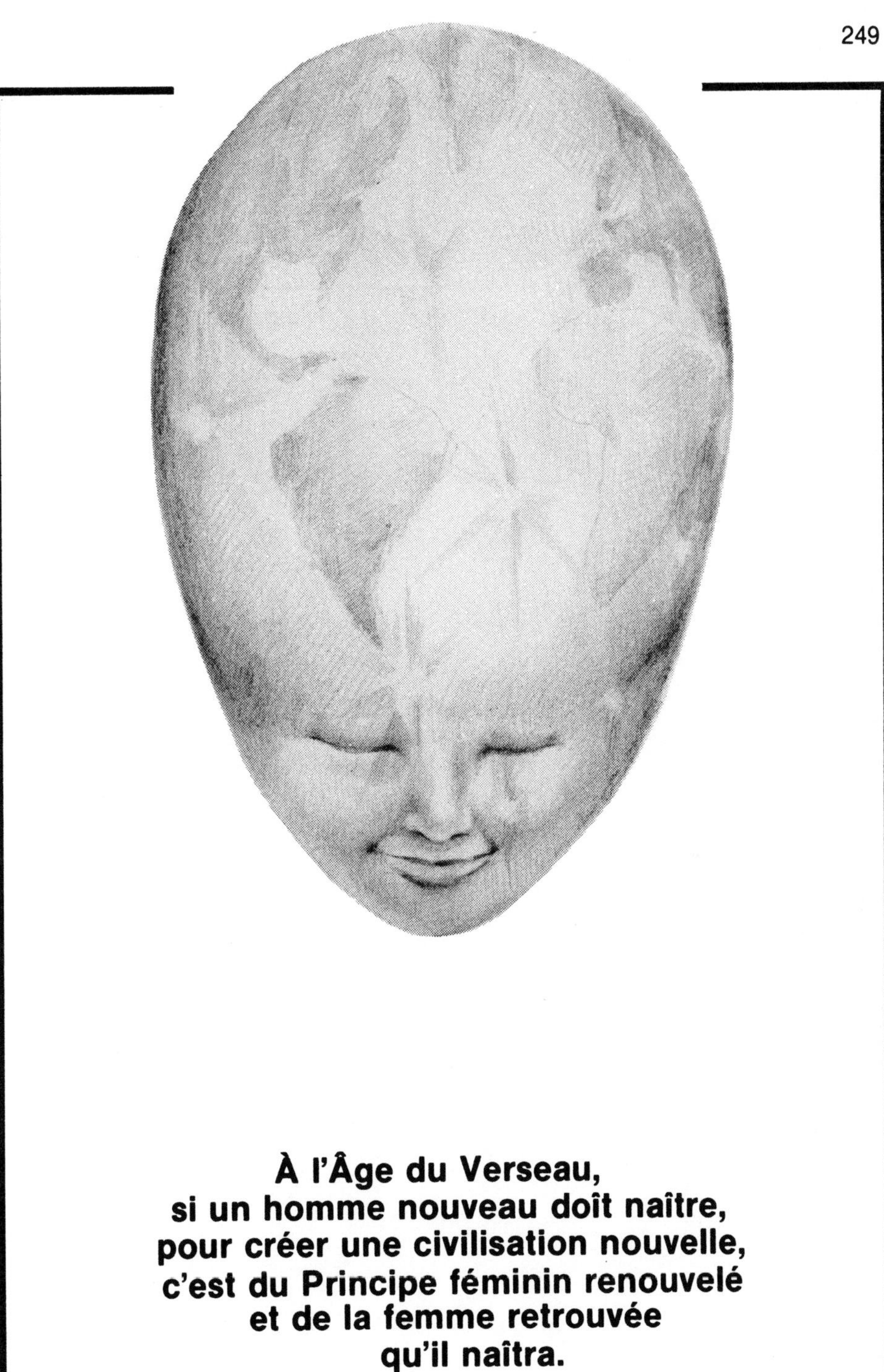

À l'Âge du Verseau,
si un homme nouveau doît naître,
pour créer une civilisation nouvelle,
c'est du Principe féminin renouvelé
et de la femme retrouvée
qu'il naîtra.

COMPOSÉ AUX ATELIERS GRAPHITI INC.
À SAINT-GEORGES-DE-BEAUCE
ACHEVÉ D'IMPRIMER SUR LES PRESSES DE
L'ÉCLAIREUR LTÉE À BEAUCEVILLE

EC—5301—80